W9-ASK-356

荒村公寓

蔡骏 著

接力出版社
Publishing House

全书开篇按语——

　　亲爱的读者们，无论你看完这本书以后有多么激动，但请记住作者的忠告——千万不要去荒村。如果你不听这个忠告，由此造成的后果作者概不负责。

目　录

序　幕

"我知道荒村在哪里了。"

这是 BBS 上一张帖子的标题，点击开来一看，却是 FLASH 动画——

在令人窒息的阴郁天色背景下，浊浪拍打着荒凉的海岸，山坡下是一座死一般沉寂的村庄，纷乱地排列着许多黑色屋顶。在俯瞰村庄的山崖顶上，远远地站着一个白衣女子，狂风吹乱了她的头发和衣裙，背景音乐是韦伯音乐剧《歌剧院幽灵》中最著名的那首歌。

原来这是一位网友，在读了我的小说以后制作的 FLASH。这就是他们心目中的荒村？

随着《歌剧院幽灵》熟悉的旋律，FLASH 的画面一遍又一遍放着。我深深地吸了一口气。自从我的中篇小说《荒村》在《萌芽》杂志上发表以后，我的生活就被这篇小说打乱了。也因为这部中篇小说，使得一个极其神秘的人物闯入了我的生活——至于这个神秘人物究竟是谁，我会在后面为你详细地叙述。

除了这个神秘人物以外，在我的身边还发生了几件大事，至今回想起来仍然心有余悸。这些事情是如此不可思议，我曾经把这些事告诉许多记者朋友，他们竟然没有一个人相信，全都以为这是我最新创作的一部小说。

哎，真后悔当时身边没带上一台 DV，把所有的事情都以影像记录下来，拍成一部让人毛骨悚然又黯然神伤的纪录片，否则的话谁又会相信这么离奇的事呢？

既然如此，你们就当这是在午夜乘凉时，偶然听说的一段奇闻怪谈吧——

在我的许多小说里，故事都像是博尔赫斯笔下的圆形废墟，既没有起点也没有终点，任意地在故事轨迹上截取一点，都可以为你打开一道秘密的暗门，带你通往另一个想像的世界……

但是，如果要讲述这个故事的话，就必须要从这一年的春天说起，在这年四月份的《萌芽》杂志上，发表了我的中篇小说《荒村》。

这部两万多字的小说讲述了这样一个故事——

荒村最早出现在我的长篇小说《幽灵客栈》里，是浙江东部一个荒凉的小山村，坐落在大海和墓地之间。但事实上我从没去过荒村，因为这个地方纯粹出于我的虚构。如果不是因为一次签名售书的活动，荒村永远只能存在于我的想像中。

《幽灵客栈》的签名售书是在一个地铁的书店内进行的。那是一个寒冷的冬夜，当签售活动即将结束时，一个叫小枝的女孩出现在我面前。她套着一件极不合身的宽大毛衣，一头长长的黑发梳着马尾辫，看样子像是个女大学生。这奇异的女孩生着一双漂亮的眼睛，眼神里有一种难以言说的感觉，她略显拘谨地请我为她签名，说她的名字叫小枝，来自一个叫荒村的地方。

我一下子就愣住了，因为荒村只是小说中虚构的场景，她却告诉我荒村确有其地，而且就是在大海与墓地之间。虽然不太敢相信，但我还是被她震住了，而她那双楚楚可人的眼睛，就像黑夜里迷途的小鹿，使我不能不对她产生某种好感。瞬间，我作出了决定，要请小枝带我去荒村，看看我小说中虚构的地方，在现实中究竟是什么样？

在苦苦等待了几周之后，小枝终于答应了我的请求，带我踏上了前往荒村的长途汽车。小枝告诉我，荒村位于浙江省东部沿海 K 市的西冷镇，八百年前宋朝靖康之变后，中原遗民逃到这块荒凉的海岸定居，从此便有了荒村这个地方。小枝就是在荒村出生长大的，两年前考上了上海的一所名牌大学，现在正好放寒假回家。

经过辗转旅行，我和小枝终于抵达了荒村，这里确实处于大海与墓地之间，满目皆是凄凉的山峦与悬崖，时间似乎在此停滞了，依然停留在数百年前的荒凉年代。

村口矗立着一座巨大的石头牌坊，上面刻着"贞烈阴阳"四个大字。据说在明朝嘉靖年间，荒村出了一位进士，皇帝为了表彰他的母亲，御赐了这座贞节牌坊。

小枝带我踏入荒村，来到了一处古老的宅子，宅门口有三个字——

"进士第"。原来这里就是小枝的家了，而村口的大牌坊也是赐给她家祖先的。

进士第古宅阴暗森严，里面有好几进院落，进门的大堂叫"仁爱堂"，堂内挂着一幅古人的卷轴画像。偌大的古宅里没有多少人气，只有小枝的父亲还住在里面。他是一个面色苍白、体形瘦削的中年人，他自称欧阳先生，说话的口气不冷不热，就像一具僵尸似的。

荒村这种地方自然不会有旅馆，夜幕降临后，我只能借宿在这栋古宅里了。小枝端着一盏煤油灯，领我来到二进院子，楼上有一间空关了许久的屋子。我小心地踏入这古老的房间，却惊奇地发现房里有一张古老的屏风，这是一张四扇朱漆屏风，应该是清朝以前的古董了，但更让我惊讶的是屏风里画的内容。

第一扇画的是一男一女，两人互相看着对方依依不舍，看来是夫妻或恋人离别的场景；第二扇画的仍是那女子，似乎正在流泪，她身前站着一个僧人，将一支笛子递到她手中；第三扇画的是室内，女子正独坐在竹席上，手中握着笛子送到唇边，房梁上悬着三尺白绫；第四扇画的是开始的那个男子，身边躺着一口红漆棺材，更可怕的是棺材盖板是打开的，而男子手中也持着一支笛子。

看着这些屏风上的画，我不禁毛骨悚然，一些奇怪的黑影在屏风上晃动，仿佛画中的男人真要从屏风里走出来了。

小枝告诉了我这张古代屏风里画的故事：

明朝嘉靖年间，荒村有一对年轻夫妇，妻子的名字叫胭脂。当时常有日本倭寇出没，胭脂的丈夫被强征入军队，被迫到外省与倭寇打仗。丈夫在临行前与胭脂约定：三年后的重阳节，他一定会回到家中与她相会，如果届时不能相会，两人就在重阳之夜一同殉情赴死。三年后的重阳节将近，远方的丈夫依旧杳无音信。胭脂每日都等在村口，有天遇到一个游方的托钵僧，僧人赠予她一支笛子，吩咐她在重阳之夜吹响笛子，丈夫就会如约归来。重阳之夜，胭脂吹响了那支笛子，当一曲忧伤的笛声终了，丈夫竟真的回到了家门口。她欣喜万分地为丈夫脱去甲胄，温柔地服侍丈夫睡下。在他们一同度过几个幸福的夜晚之后，丈夫突然失踪了。不久，胭脂听说她的丈夫竟早已在重阳之夜战死。原来，重阳节那晚，她丈夫在千里之外征战，故意冲在队伍最前头，被敌人乱箭射死。他名为战死，实为殉情，以死亡履行了与妻子的约定。他的魂魄飞越千山万水，只为返回故乡荒村。而此刻胭脂正好吹响神秘的笛子，悠扬的笛声正好指引了丈夫的幽灵回家。

当天晚上，我一整夜都在想这个故事，实在睡不着觉。到了后半夜，我索性走出房间，发现隔壁房间里竟透出一线烛光。

强忍着恐惧，我偷偷地向隔壁窗户里看去——古老的梳妆台上点着一支蜡烛，幽暗的烛光照亮了一个穿着白衣的女子，但我无法看到她的脸，只看到她正梳着一头乌黑的长发。我立刻想起一部经典恐怖片中的画面，慌忙逃回到自己的房间里。这就是我在荒村的第一夜。

第二天，小枝带着我到荒村四周看了看，这里果然是穷山恶水，荒凉的山峦和黑色的大海，使我想起了《牙买加客栈》。

小枝总是那种表情，似乎永远都没有开心的时候，呆呆地望着大海出神。看着她凝视大海的样子，忽然产生了某种冲动，但我还是强忍住了。下午在小枝的房间里，我看到写字台上放着一个相框，里面镶着一张小枝的黑白照片，照片里的她很迷人，只是眼神有几分淡淡的忧郁。

可小枝却说这张照片里的人早就死了。原来这是小枝妈妈的照片，她们母女俩长得实在太像了。

小枝很小的时候，她的妈妈就生病去世了，就病死在我现在住的那栋楼上。父亲一个人把她带大。她只能从照片上看到妈妈的样子。

在这天晚上的十二点钟，我忽然听到一阵笛声，似乎是从后面的山上传来的。黑夜中的笛声让我心惊肉跳，我急忙跑出进士第，循着笛声找到了山上的吹笛者。原来吹笛子的人是小枝的父亲——欧阳先生。半夜里跑到山上吹笛子，这种怪异的行为令我很好奇，而他手上的笛子也非常特别，据说已有几百年历史了。

想必这支笛子一定是有故事的，果然，欧阳先生告诉我，这支笛子就是当年胭脂吹过的神秘笛子，而胭脂的故事还有另一个版本：

几百年前的荒村，胭脂在重阳之夜吹响这支笛子，与丈夫的鬼魂相聚。三个月后，她发现自己已经有孕在身。这是一个奇迹。她腹中怀的那个孩子，正是战死沙场的丈夫魂兮归来后播下的种子。荒村人开始怀疑她红杏出墙，但胭脂坚持自己是清白的，为了保住腹中的孩子，胭脂受尽了苦难，怀胎十月，终于把儿子生了下来。胭脂一个人将孩子带大，母子受尽了歧视和侮辱。十几年后，胭脂终因操劳过度而死，但她的儿子读书极为用功，后来金榜题名成为天子门生。胭脂的事迹传到了皇帝耳中，皇帝也为这个故事所感动，御赐贞节牌坊一座，以表彰胭脂的德行。

原来村口的那座贞节牌坊就是给胭脂的，进士第也是由胭脂的儿子所建，欧阳先生和小枝都是胭脂的后代——幽灵的后代？我吓得跑回了进士第。

在进士第的院子里，我竟然发现小枝穿着一身白衣，正孤独地徘徊在月光下。她什么话都没有说，眼神宛如梦游似的。我立刻就跑得无影无踪。

在我到达荒村的第三天，终于忍受不下去了，决心立刻离开这里。在离开荒村以前，我向欧阳先生及小枝辞行，他们也没怎么挽留我，只是言语中似乎隐藏着什么。我在进士第的大门口看着小枝，尽管只是短短几天的萍水相逢，但她那楚楚动人的目光，仍使我心里暗暗有些酸涩，我不知道该说些什么，只能决然地离开了荒村。

回到西冷镇上，我没有立刻回上海，而是找到当地的文化馆馆长，向他请教荒村的胭脂传说。文化馆馆长告诉我，二十年前，荒村附近一座明代的古墓遭到了盗墓贼的盗掘。当时是欧阳先生报了案，考古队立刻赶来进行抢救性发掘，发现古墓里葬着一男一女两具骸骨，还有一块保存相对完好的墓志铭，记载着墓主人的生平事迹。

原来，这座古墓里埋葬的正是胭脂和她的丈夫。墓志铭上说明朝嘉靖年间，东南倭患严重，荒村人欧阳安被强征入伍，临行前与妻子约定，三年后的重阳节必定回乡团聚，否则就双双殉情。三年后，重阳之期已至，欧阳安仍征战在千里之外，他知道自己无法履行约定，便决心在战场上求死殉情。重阳之夜，欧阳安冲在队伍最前列，身中数箭倒地不起。但他只是受重伤昏迷，后来又活了过来，数月后当他回到荒村老家时，才发现妻子已于重阳之夜悬梁自尽了。欧阳安痛不欲生，他还想再看妻子一眼，便偷偷打开妻子的棺材，却发现尸身完好无损，身旁还有一支笛子。于是，欧阳安把妻子的棺材抬回家，每年重阳节及春节前后，他都会在半夜吹响从棺材里取出的笛子。几年后的一个冬夜，欧阳安又一次吹响笛子，妻子竟真的从棺材里醒了过来。欧阳安欣喜若狂，每日喂以稀粥，终于使她恢复了健康。复活后的妻子依然年轻美丽，他们过起了平静的生活，甚至还生了一个儿子。后来儿子考中进士，在京城殿试名列前茅，皇帝听说后也感动不已，便御赐一座贞节牌坊。

听完这个版本的胭脂故事，我几乎已无法自持了——小枝和欧阳先生所说的故事又是真是假呢？但是，坟墓是不会说谎的。忽然，我觉得自己坠入了一个黑泽明《罗生门》式的深渊。

荒村欧阳家究竟还隐藏着什么秘密？

瞬间，我作出了决定——立刻回荒村，解开这个秘密。

在那个寒冷的冬夜，我越过陡峭的山坡回到荒村，听到了一阵诡异的笛声。此时什么都无法阻止我了。我冲到进士第里，发现曾经住过的小楼上，竟亮起了一线微弱的灯光。

我冲进那间屋子，发现小枝穿着一身白衣，怔怔地看着屏风。她的面色是那样苍白，乌黑的眼珠幽幽地盯着前方，还是那副梦游的样子。我高声对她说话，但她毫无反应，这时我才惊奇地发现——她根本就不是小枝！

正当我感到一阵彻骨的恐惧时，欧阳先生突然出现在我背后，告诉我一个不可思议的答案——她是小枝的妈妈。

可是，我明明记得小枝对我说过，她的妈妈早就去世了。

欧阳先生娓娓道来，原来在二十年前，小枝刚出生不久，她的妈妈便因病去世了。欧阳先生悲痛万分，不想再独自活在这世上。不久，欧阳家祖先的坟墓被盗，他看到了那块墓志铭，祖先的故事给了他极大的启示，他想只要按照墓志铭里记载的方法去做，妻子就一定会回到他身边。所以，他经常在半夜跑到山上去吹笛子。因为这支来自古代的笛子具有神秘的魔力，能让你爱的人回到你身边——是的，她回来了。

我又想起了小枝房间里，那张她妈妈生前的照片，简直就和小枝一模一样，怪不得我会把她误当做小枝。我明白了——第一天晚上，在我隔壁房间梳头的女子也是她，第二天晚上在院子里徘徊的也是她。

这是一对人鬼夫妻，依然年轻美丽的妻子抬起头，看着已经憔悴苍老的丈夫——他深深地爱着她，不论她是死了还是活着，即便是人鬼阴阳两相隔，他也渴望自己所爱的人回家。

但随后我听到了一阵奇怪的笛声，催眠般使我昏迷了过去……

第二天清早醒来时，进士第里已一个人影都没有了。我找遍所有房间，只看到一层薄薄的尘埃，似乎很久都没人住过了。

我惴惴不安地冲出进士第，找到了荒村的村长，询问起欧阳家的情况。村长的回答让我更加胆战心惊。原来欧阳先生早就死了！三年前患癌症而死，就死在进士第里。而欧阳先生的妻子，是二十年前欧阳先生去外地工作的时候，病死在家中的。

至于小枝，原本在上海读书，但大约一年以前，她在上海的地铁里出了意外，香消玉殒。

如果进士第里的一家三口早就死绝了，那么我所见到的小枝和欧阳先生又是谁？我不能再留在荒村了，也许这里只属于另一个时代，属于线装书里的怪谈。

小枝——我心里念着她，身体却匆匆离开了荒村。村口依然矗立着的御赐贞节牌坊，仿佛是一块巨大的墓碑。

回到上海后，我问了一位在地铁公司工作的朋友。他告诉我在一年前的冬天，就在我签名售书的那个地铁车站里，曾经出过一起重大事故：在地铁列车即将进站的时候，一个二十岁的女大学生失足掉下了站台，被列车当场碾死。

——她的名字叫欧阳小枝。

原文长达两万多字，在此限于篇幅，我只能简明扼要地加以介绍。在那个雨水充沛的春天，中篇小说《荒村》发表之后，全国有几十万读者读到了它，立刻引来了许多争议，网上也出现了 N 多评论。我没想到有那么多读者，都深深陷入了荒村中的世界，似乎在这篇两万多字的小说里有一个支点，不经意间触发了他们心中某个柔软的地方。

然而，更多的还是读者们对于"荒村"这个地方的种种猜测。在一个多月间，我收到了许多 E-mail，大多是询问《荒村》中几个未解的谜团的。很抱歉我没有一一回答，因为当时我自己也很想知道答案。

我万万没有想到的是，在五月初的一天，有几位不速之客敲开了我的房门。

第一天

还记得那是一个雨天的下午，窗外蒙蒙的烟雨模糊了视线，仿佛一切都是从滤光镜看出去的，只有植物们放肆地吸吮着雨水，枝叶的暗绿色正悄悄蔓延。此刻，房间里也弥漫着潮湿的空气，雨点不断敲打着窗玻璃。我独自面对电脑屏幕，思考下一部小说的开头。

忽然，急促的门铃声响起，就和窗外的骤雨一样让人心神不宁。我一向讨厌在这种时候被人打扰，却只能忍住不快打开房门，看到了四张陌生的面孔。

为首的年轻男子体形健硕，肤色黝黑，似乎经常从事户外运动，他的头发上还沾着一些雨珠。他小心翼翼地问起了我的名字，在知道了我就是《荒村》的作者后，他们都松了一口气。一个皮肤白嫩的小个子女生喃喃地说："哇，真没想到啊！"

"没想到什么？"

"没想到传说中的作者居然这么年轻啊。"

我搔了搔头，不知道这算不算是在夸我。

女生兴奋地说："嗯，这里看起来很不错嘛，《荒村》就是在这里写出来的吧？"

为首的男生瞪了她一眼，然后微笑着对我说："对不起，我们都是你的忠实读者和书迷，尤其是在《萌芽》杂志上读到《荒村》这篇小说以后，我们有许多问题想要当面请教你。"

原来如此。可我还是有些犹豫，平时我从不当面接待读者——不过还是让他们进来了。四个人小心地把雨伞放在门口，身上虽有些湿，我却并不怎么介意，倒了饮料招待这些不请自来的访客。

四个人都背着书包，两男两女，和我一样是年轻人，应该还在读大学一二年级吧。我的猜想得到了他们的证实，另一个高个子女生说："先自我介绍一下吧，我叫韩小枫。"

然后，她又依次介绍了每一个人，为首的大男生叫霍强，小个子女生叫春雨，另一个男生叫苏天平。他们都是大二的学生，参加了有名的"知更鸟大学生探险俱乐部"。

霍强开门见山道："你所有的书和小说我们都读过，读了你的中篇小说《荒村》后，我们全都被震撼了，反反复复地看了十几遍。我们实在是忍不住了，所以特地登门拜访，想请你为我们解答一些问题。"

我无奈地摇了摇头，小说发表后最担心的就是这个。"对不起，你们是怎么知道我的地址的?"

"这个嘛……"霍强尴尬地抓了抓头，然后说出了一个名字。

原来是那家伙!居然把我的地址透露给这几个大学生了，下次遇到他一定要骂他几句。

叫春雨的小女生说话了:"对不起，这是我们对他死缠烂打，他被逼无奈才告诉我们的。"

算了吧，那家伙一定是看到人家漂亮的女学生，经不起诱惑才出卖了朋友的吧。

"好吧，你们究竟有什么问题?"

叫苏天平的沉默男生终于说话了:"首先我很喜欢你的这篇小说，我觉得《荒村》实在太奇特了，甚至每一个文字都是一个陷阱、一个待解的谜团。在荒村的故事表面之下，一定还隐藏着其他秘密，是吗?是不是因为篇幅的原因——我觉得你还有许多故事没有透露给我们。"

"是不是还准备要写一部关于荒村的长篇?"韩小枫突然插了一句。

对于他们的这些问题，我还真不知该如何回答，只能又随口敷衍了几句。但这几个大学生却不依不饶，机关炮似的向我追问着。窗外的雨越下越大，昏暗的天光笼罩着房间，很容易让人产生某种错觉，好像这四个人是从另一个时空赶来的。终于，霍强忍不住说:"好吧，现在请回答一个问题，荒村到底存在吗?"

"我已经说过几遍了，这只是一篇小说而已，请不要太当真。"

春雨突然有些激动:"不，你骗人，荒村一定存在，它一定存在!"

看着她楚楚可怜的样子，就算再铁石心肠的人也撑不下去。也许我那位朋友也是因此而"出卖"我的吧，毕竟我们都很心软。

我咬咬牙，勉强点了点头:"好吧，我承认，荒村确实存在。"

说完这句话的瞬间，一道耀眼的闪电忽然从天际闪过，紧接着是一声震耳欲聋的雷鸣，似乎连窗玻璃都在颤抖。难道是不祥之兆?我的心一沉——不，我不能这么说，荒村不应该存在。

可惜，说出口的话已经收不回了，现在想来真是非常后悔。

当时听完了我这句话，几个大学生都异常兴奋，只有苏天平还保持着冷静，他问道："那么请你告诉我，荒村究竟在什么地方？"

"我已经在小说里说过了，荒村在大海与墓地之间。"

"这我们都知道。现在，我们想要知道的是荒村的确切地址，你在小说里说荒村在浙江省 K 市的西冷镇，那么 K 市又是哪里呢？"

"你们究竟想要干什么？"

霍强果断地说："我们想要去荒村。"

"要去荒村"的话音未落，窗外又是一个惊天动地的响雷，春雨下意识地紧紧抱住旁边的韩小枫。

我也怔住了。窗外一片白茫茫的烟雨。奇怪，这个季节本不应该有那么大的雷雨啊。那四个大学生都直勾勾地盯着我，他们正等待我的回答。这让我更加心神不宁起来，奇怪的预感如雨水般打在心里，又如咒语般在脑中反复回旋。

绝不能让他们打开撒旦的大门。

我斩钉截铁地回答："不，我不能告诉你们！"

已期待了许久的四个大学生，立刻像漏了气的皮球一样，尤其是那个叫春雨的女生都快要哭出来了。

"为什么？"韩小枫显然是个急性子，她立刻冲我问了一句。

"不为什么，反正你们不能去荒村。"

霍强摇了摇头："不，我们都已经作好准备了，一切野外旅行和探险的装备都已到位，惟独就缺详细地址。不管你是否支持，我们去荒村探险的计划绝不会改变。"

"取消计划吧，这样的计划毫无意义。我建议你们可以多关注一下UFO 或者是百慕大三角区，不要让幻想压倒理智。"

"百慕大太远了，而荒村就近在我们身边。"说话的是苏天平，他也有些激动了，"你知道吗？我和春雨就是因为读了你的小说，对你的文字着迷以后才加入探险俱乐部的。你知道我们费了多大的劲儿才找到你的吗？今天又冒着这么大的雷雨登门拜访，你可千万不能让我们这些忠实的读者失望啊。"

我的读者朋友们，我怎么会让你们失望呢？可是，在荒村这件事上，绝无退让的余地，我必须硬着头皮说："你们回去吧，我是不会说出荒村在哪里的。"

霍强冷冷地说："真的很遗憾。不过，就算你不说也不要紧，因为只要荒村这个地方确实存在，那么我们就一定会查出来的。"

说完，便起身匆匆地离去了，其他几个大学生也都跟在霍强身后。叫春雨的女生是最后一个走的，她在门口又回头看了我一眼，幽幽地说："我真的很失望。"

我只能无奈地说了声："外面打雷，你们当心。"

我目送四个不速之客消失在楼道间，不由得心里涌起一股愧疚。该不该这么做呢？他们都是我的忠实读者，我本应该尽力帮助他们，可荒村……

不，不要再提荒村了。

原本以为，事情就这样结束了。

然而，就在四个大学生离去的当天晚上，更奇怪的事情闯入了我的生活。深夜时分，外面已不再电闪雷鸣了，雨水淅淅沥沥地落在窗户上，如同某个女子的手指在敲打。我像平常一样打开电子邮箱收E-mail，自然又收到了许多关于荒村的邮件，大体是崇拜者有之，谩骂者亦有之。但其中有一封邮件的主题引起了我的兴趣——

你漏了那口井

在看到这个标题的瞬间，我的眼皮忽然跳了一下，眼前仿佛又出现那个幽深的圆形洞口——井？

我的鼠标像是被这个标题击中了一样，一眨眼滑得不知去向。我连忙挥动几下右手，总算找到了这只胆怯的老鼠，它被这标题吓怕了吗？点击"你漏了那口井"的标题，一段文字跳进我的视线——

你好！

你就是《荒村》的作者吧，如果你认为这封信是骚扰邮件的话，那请你现在就删除它。

今天下午，我看完了你的中篇小说《荒村》。请原谅，我现在是以一个知情人，而不是以读者的身份来评价你的小说。我要告诉你，你在小说里遗漏了一样重要的东西，不知你是故意隐瞒还是记性太差，假定你是真的去过荒村老宅进士第，而不是道听途说的话。

还记得老宅进士第后院里的那口井吗？

你可以不回复。

打扰了。

一个读者

看完这封奇怪的 E-mail，我愣了好几分钟，电脑屏幕上的那些文字似乎跳过了眼睛，直接进入到了脑子里。摸着鼠标的手犹豫了几下，还是没有按下删除键。我缓缓闭上了眼睛。

井？

在合上双眼的一刹那，黑黝黝的洞口又出现了——

小心地把身体探到井口，狭窄的古井深不见底，似乎沉浸在光阴的漆黑中。突然，几丝波纹出现在井底，微微荡漾的水纹反射着洞口的光线。瞬间，我在井底的水纹里，发现了自己脸庞的倒影。

我颤抖着看着井底的自己，就像面对着爱因斯坦假设的"黑洞"，那个亿万光年外的宇宙黑洞正以无限的力量吸收着一切物质，而时间则在它的周围扭曲变形。

是的，面对这口古井的我，似乎也感受到了一股气息，自井底缓缓地升起，通过宛如婴儿出生的产道般狭窄湿润的井壁，从狭窄的井口汹涌而出，直喷到我的脸上、我的鼻腔，又随着呼吸充满了我的胸膛。我摸不到它，但能贪婪地呼吸到它，我知道它在这里。现在，它从井里跑出来了……

它是谁？

我猛然睁开了眼睛，那口幽深的古井瞬间消失了，眼前还是电脑的屏幕保护。我长长地吁出了一口气。刚才浮现的那一幕实在太刻骨铭心了，甚至不知道该用恐惧还是忧伤来形容当时的心情。但我知道自己不应该打开那口井，因为不知道接下来会发生什么。我能做的只能是隐瞒这口井的存在。

这封奇怪的E-mail说的对，古井确实存在于荒村，就在古宅进士第的后院里，只是我没有把它写进小说《荒村》里。因为我对这口井有一股特别的恐惧，以致无法想像当它进入小说中，展现在无数读者的面前时，会产生怎样的后果。

不！我无法想像。现在，我面对着这封奇怪的E-mail，不知道对方是如何知道那口井的，或许也仅仅只是道听途说而已？

虽然，对方说我可以不回复，但我想还是回复一下的好，至少我想知道对方究竟是谁？是穷极无聊幻想出一口古井来吓唬我，还是确实和荒村有着某种关系？

思前想后，我还是给对方回复了一封E-mail。

你好！

我不知道该如何称呼你，也不知道你究竟是谁。但现在我必须承认，在进士第的后院里确实有一口古井，请问你是如何知道那口井的？

一定要回复。

发完这封E-mail，我关掉电脑，终于长出了一口气。雨点继续敲打窗户，宛如荒村海岸渐渐退却的潮汐。

那晚并没有意识到，我的生活将因这两封邮件发生巨大的改变。

果然，第二天子夜时分，我的电子邮箱收到了对方的回复——

你好！

我说过你可以不回复的。但既然你承认了那口井的存在，那么为何在小说中遗漏了它？

至于我究竟是如何知道那口井的，对不起，我不能回答你这个问题。恕我直言，在看完你的《荒村》以后，我有一个感觉——如果你不是故意隐瞒什么东西的话，那么你根本就没有去过荒村。因为你这篇小说里的错误实在太多了，等我什么时候想起来，我会一一给你指出来的。如果我没有想起来的话，那算你走运。

告诉我，你真的去过荒村吗？

这回结尾没有落款，看着这封 E-mail 里咄咄逼人的文字，我实在想像不出对方会是什么样子。犹豫了片刻之后，我发出了回复——

你好！

你是谁？

我觉得我们现在的交流，就像是在大房子里玩捉迷藏的小孩，两个人都相信对方猜不到自己的藏身之处，而自己却能准确地猜到对方藏在哪里。

再说一遍，《荒村》只是一篇两万多字的小说而已。

小说是什么？我觉得小说就是梦，所有的小说都是小说家的梦话。而无论是美梦还是噩梦，无论这梦看起来有多么真实，梦与我们的现实生活总是有距离的，所以我们才会喜欢做梦，才会喜欢小说。

好了，不管你是否相信，我确实去过荒村。

但是，小说中的荒村，与现实中的荒村，是两个完全不同的世界，否则也就不称其为小说了。

最后，有个小小的请求，能不能留下你的落款呢？

回复发出以后，我顺手关掉电脑，坐在椅子上想了很久。自从中篇小说《荒村》在杂志上发表以后，脑子里一直就很乱。奇怪，现在怎么也记不起来，几个月前我决定要写这篇小说时，心里究竟是怎么想的。

　　记忆一下子崩裂成碎片，怎么也拼不到一起。我竭尽全力地在脑子里搜索着，直到想起那个寒冷的冬日下午……

　　没错，我记得那天据说要下雪，仰头看着天空，期待着雪花飘舞的那一刻。周围全是嘈杂的人声，并且散发着一股不知几百年前的陈腐味道。对了，那天我去了旧书市场，站在市场中间的走道上，两边全是收破烂似的旧书摊。告诉你们吧，我一向很喜欢收藏，尤其是线装的古旧书籍，谈不上是收藏投资，纯粹只是喜好古物而已，往好里说也算是"抢救文化遗产"吧。雪迟迟没有落下来，我低头向旁边走去，在一个专售清版线装书的摊位前停了下来。

　　在厚厚一摞线装书里，有一本名为《古镜幽魂记》的旧书。奇特的书名立刻吸引我打开了它的扉页。作者署名是"荒村狂客"，乾隆四十三年杭州孤山书局印行。书的内页里还有几方收藏印，除了书页有些发黄以外，并没有破损或者虫蛀的迹象，封面和封底也比较完整。乾隆四十三年到现在已有两百多年，这本书能保存成这样应该还不错。

　　摊主开价实在太高，他还真把这书当成古董了，其实就算拍卖也不过几百块而已。但这本书确实不错，不仅保存完好，更重要的是里面的文字，我刚翻了几页就有了一种特别的感觉。正在为这本书犹豫再三时，一粒湿湿的东西忽然落到了手心里，又缓缓地融化成水……

　　——是雪粒！我惊讶地抬起头，天空中果然下起小雪来了。我按捺不住心中的激动，趁着一股突如其来的高兴劲，爽快地把钱掏给了摊主。带着这本意外收获的《古镜幽魂记》，兴奋地赶回了家里。

　　回到家时雪已经停了。虽然还是对人民币有些心疼，但起码我是这本线装书的新主人了。我很有耐心地等到晚上，房间里只开一盏昏黄的小灯，效果颇似古人点的蜡烛。终于，我毕恭毕敬地打开了这本《古镜幽魂记》。

　　原来这是一本笔记体的书，分成几十篇小文章，说不清是小说还是散文，记载的大多是江浙一带的奇闻逸事，感觉风格有点像纪晓岚的《阅微草堂笔记》。全书第一篇笔记的名字就叫《古镜幽魂记》，说的是明朝一个女子冤死后，魂魄留在古镜中不散，后人在镜中常可以照见当年女子妖艳的脸庞。这故事让我倒吸了一口冷气，更要命的是还有绘像的插图——在一间闺房中有面古铜镜，镜子前并没有任何人，镜中却照出了一个正在梳头的女子。

竖排的文言看起来非常费眼神，我花了很长时间才看完这第一篇笔记。但已经停不下来了，在幽暗的灯光下，我一篇又一篇地看了下去，完全沉浸在这位"荒村狂客"编织的奇异世界中，直到笔记的最后一篇——《荒村怪谈》。

最后一个故事非常奇特，说的是有一个福建书生进京赶考，那年冬天浙东山区下了大雪，官道被罕见的大雪覆盖，书生不巧走了岔路，来到了海边一个叫"荒村"的地方。

此时书生已是饥寒交迫，他闯进了荒村中最大的一所宅子。宅子的主人自称"荒村狂客"，乃是一位四十余岁的中年人。主人对书生出乎意料地友善，给他安排了一顿丰盛的菜肴，和一间宽大舒适的房间。

当晚的荒村，大雪纷飞海浪滔天，书生正在老宅子里与主人谈经论道，忽然房门外闪过一个女子的影子。书生惊讶地走到外面，却什么人都没有。书生随即回房睡觉去了。

半夜，书生被某种奇怪的声音惊醒了。他循着声音来到隔壁的房间门外，用口水舔破窗户纸，发现房间里有一个美丽的女子正在梳着头发。年轻的书生大吃一惊，从小到大他从没见过如此艳丽的美娇娃。他按捺不住，悄然走入那女子的闺房。女子并不惊讶，而是招待书生喝茶。书生站在美人身前，不觉心猿意马，便向美人倾诉了爱慕之心，并说自己尚未婚娶。美人并未拒绝，说自己刚才偷听了书生与主人的谈话，自觉书生颇有经国济世之才，亦对他暗自倾慕。书生大喜，当晚便由美人为他侍寝。

次日醒来，书生却发觉美人早已不知去向，就连大宅的主人亦毫无踪迹。此时大雪已停，书生只得万般无奈地离开荒村。当书生走到离荒村几十里远的西冷镇时，在一个未结冰的池塘前停留了片刻。啊！书生大喝了一声，原来他看到池水里照出自己的倒影，模样异常可怕，那张脸毫无血色，宛如僵尸一般。书生吓得魂飞魄散，紧接着又发现自己的脖子上有一个小小的伤口，就像被蝙蝠咬过一样。他急忙用刀切开自己的皮肤，但没有一滴血流出来——原来他的血都已经被吸光了。书生明白过来以后，当即气绝，倒地身亡。

事后有西冷镇百姓路过池塘，发现路旁躺着一个书生模样的年轻人，已然成为一具僵尸。

这个故事就到此为止了，在最后一页还有一张插图，画的是年轻书生躺在床上，脖子上有个小小的伤口，而那位美艳绝伦的女子就坐在他旁边，嘴角上似乎还带着鲜血。

突然，我觉得这最后一页仿佛变成了彩色，女子嘴角上殷红的鲜血，似乎要从书本里流出来了。我连忙合上了书本，后背一阵发凉。

已是凌晨时分，终于看完这本名为《古镜幽魂记》的奇书。给我留下最深刻印象的，自然是最后一篇《荒村怪谈》了。最要命的是这本书的作者"荒村狂客"最后竟出现在了《荒村怪谈》这个故事里，而且就是那间恐怖大宅的主人。

不知道这笔记里的故事是真是假，更不知道这位"荒村狂客"究竟是何方神圣，单就他的文字而言，我觉得并不逊于蒲松龄的《聊斋志异》。显然，这位"荒村狂客"是来自于荒村，那么荒村真的存在吗？

就在那个瞬间，我决心一定要找到荒村。

这本《古镜幽魂记》还躺在我的抽屉里。我不敢再去看它，只希望慢慢地将它遗忘。现在想来，如果那天没有去旧书市场，如果没有发现这本"荒村狂客"的灵异笔记，那么还会有后来那些不可思议的事情，还会改变那么多人的命运吗？

也许，人生就是由无数个"或然率"造就的。

第三天

早上，我收到了那个神秘人物的 E-mail 回复——

你好！

你要比我想像中的聪明一点。

"在大房子里玩捉迷藏的小孩"？你的比喻很有趣，但是不太准确。更确切地说，是一只猫和一只老鼠在大房子里玩捉迷藏。我就是猫，而你则是老鼠。

好了，我说过你的小说里有很多错误，现在我想起来一些了，比如那三个关于胭脂的古老故事。在第一个故事里，你说胭脂的丈夫欧阳安，是因为打仗才离开荒村的。其实并非如此，而是因为荒村遭到了倭寇的袭击，欧阳安被强盗掳到了海上。从此，胭脂只能独守空房等待丈夫的归来。几年以后，人们发现海面上漂浮着一条倭寇的海盗船，船上所有的人都已经死去了，变成了一具具白骨，这就是人们通常所说的"幽灵船"。他们就是洗劫过荒村的那一批倭寇，船上的文字记载表示，当倭寇乘船离开荒村后不久，这些海盗们就一个接一个地死去了，最后只剩下一个人，那就是他们的俘虏欧阳安。但是，船上并没有发现欧阳安的尸骨和衣服，他就像谜一样消失在了这艘幽灵船上。

第二个故事，你说胭脂和欧阳安的鬼魂在重阳之夜相会，结果生下了一个儿子。你说错了，胭脂在与丈夫分别后的第三年，在海边发现了一个淹死的男人，原来那正是她的丈夫欧阳安。胭脂把丈夫的尸体带回家，每夜将自己的血涂抹到丈夫嘴唇上，终于使他复活过来。但是，所有的人都认为欧阳安已经死了，所以他只能悄悄地隐藏起来，就像是个鬼丈夫似的，后来与胭脂生下了一个男孩。

第三个故事，你说从坟墓里挖出来墓志铭。知道那些盗墓者的结局吗？他们带着从坟墓里偷盗出来的文物，坐上了一辆大客车要离开浙江，结果在出省境的时候发生了车祸。难以置信的是，车上的其他乘客都有惊无险地躲过一劫，惟独那三个盗墓者全都死于非命。

听我说了那么多故事，你一定非常意外吧？

然而，你自己并没有意识到，其实你早就犯下错误了，你根本就不应该写《荒村》这篇小说，更不应该让这篇小说刊登在杂志上，让那么多人知道荒村的存在。你一定会问我为什么，很遗憾我也不知道为什么。总之你我都无法想像，这篇小说将会造成什么样的后果。

如果你一定要我留下落款的话，我的落款是——聂小倩。

聂小倩？我忽然傻笑了一下，怎么《聊斋志异》里的美丽幽魂跑出来给我发 E-mail 了？还有，我怎么总觉得她（他）所说的那三个故事比我的《荒村》更像是小说？

大概她（他）也在和我一起编故事吧，我曾经在网上发过一则帖子，谈到了荒村古代的那三个故事：

我们所见到的世界、所听到的事情，到底是真相还是虚相？同一件事物在不同的人嘴里，究竟会出现多少个"镜像"呢？我们听到的故事，其实并不是事物的实体，而是实体在镜子中反射出的影像，不同的镜子或许就会反射出不同的影像。比如，在镜子里我们所见到的字母都是反的，如果实体的字母本来就是反的，那么镜子里反而会出现正的，那么我们是否会认为自己所见的就是实体呢？如此一来，实体和镜像就变得模糊起来，我们谁都无法分辨清楚了。我提到了三个不同版本的故事，而每一个故事版本都与讲述者有着密切的关系——当然，最后一个版本是死人的墓志铭——虽然我在小说里说"死人是不会说谎的"，但只要我们更深地想一想，难道死人真的就不会说谎吗？到这里我们就发现，或许还存在第四种、第五种，甚至第 N 种版本的故事，而我们阅读故事的人，就宛如站在一面布满了无数面镜子（镜像）的迷宫里，站在单独的每一面镜子前，我们都会认为自己看到的是真相，但如果看到所有的镜子，或许我们会发疯的。

也许，还会有更多、更离奇的版本出现吧。不过，现在我对于这个自称"聂小倩"的人，是越来越感兴趣了。

我立刻给她（他）回复了一封 E-mail。

聂小倩：

　　尽管我这么称呼你，但我不相信你是从兰若寺里跑出来的，要知道我可不是宁采臣，而是斩妖除魔的燕赤霞呢！

　　另外，你说猫捉老鼠我不反对，但为什么一定要你做猫，我做老鼠呢？我觉得应该反过来说才对。

　　我希望你仅仅只是在编故事，或者是在写一部小说，如果是这样的话，我想我可以给你以支持。但是，如果你再装神弄鬼地吓唬我的话，那我会把你的 E-mail 加入拒收地址。

　　随便你回不回。

　　这封 E-mail 发完以后，我感到比前几天轻松了一些，要知道平时我可不是这么说话的。

　　聂小倩？

　　我忽然轻声笑了出来。

第四天

这天我一打开电子邮箱，就开始寻找"聂小倩"的 E-mail。然而，我并没有发现她（他）的任何回复，算了吧，也许对方只是在和我开玩笑而已。

　　我说过我在写一部新的长篇小说。每次写小说我都要查许多资料，以至于每写一部小说都会长很多知识。好在我擅长使用 Google，所以大部分资料都能在网上搜到。这晚正当我在 Google 上狂搜时，忽然有人呼叫我的 QQ 了，这是一个完全陌生的 QQ 号码，昵称更让我吓了一跳："聂小倩"。

　　莫非又见鬼了不成？只见"聂小倩"在网络的另一端对我说：我知道你在，快点出来现身。

　　我摇摇头，只能乖乖地"现身"了：你从兰若寺里跑出来了？

　　聂小倩：别跟我提什么兰若寺，现在我们谈谈荒村吧。

　　我：你是怎么找到我的 QQ 的？我很少在网上聊天的。

　　聂小倩：这你管不着。

　　我：你为什么总是盯着我？

　　聂小倩：因为是你写了《荒村》，解铃还须系铃人。

　　我：这话什么意思？

　　聂小倩：你会明白的。

　　我：我发给你的 E-mail 收到了吗？

　　聂小倩：收到了。你会看到究竟谁是猫，谁是老鼠的。还有，我没
　　　有编故事，更没有写小说，如果说有谁在"装神弄鬼"的话，那么
　　　这个人是你。

　　我：既然要我相信你，那么就请你告诉我，你究竟是谁？

　　聂小倩：为什么明知故问？我不是已经告诉你了吗？

　　我：你是说"聂小倩"？算了吧，那聂小倩和荒村又有什么关系呢？

　　聂小倩：这个我也想知道。

　　我：我受不了你了，我觉得你在对我搞恶作剧。

　　聂小倩：不，我保证你很快就会相信我的。

　　我：打住吧，我再也不想看到"聂小倩"了。对不起，我下线了。

聂小倩：你逃不了的。

我逃命似的下了线，然后干脆连电脑都关掉了。

真没想到这个"聂小倩"居然追我追到 QQ 上来了。不管对方是不是恶作剧，只要想想和"聂小倩"聊天，就足以让我联想到《聊斋志异》了。看来连上网都不安全了，这件事真是棘手。这时候我想到了叶萧——不，现在还没到打扰他的时候。

我闭上眼睛躺了一会儿，心跳忽然莫名其妙地加快了——我的手机铃声响了。

午夜响起的铃声总让人很不自在，我缓缓拿起手机，看到了一个陌生的手机号码。难道那个神通广大的"聂小倩"连我的手机号码都知道？

我犹豫了好一会儿，《歌剧院幽灵》的铃声始终在响着，似乎在拼命地催促着什么。终于，我忍不住接听了，手机里传来一阵奇怪的声音，略微有些刺耳，然后又平静了下来，仿佛是某种诡异的呼吸声。

"喂！说话啊！"我对着手机叫了几声，但那头始终都是那种奇怪的声音。正当我要结束通话时，一阵吵闹的声音传入了我的耳朵："喂，你好。我是霍强啊。"

手机的信号很不好，有很多我从来没听到过的杂音咝咝地萦绕在里面。"霍强？"这个名字似乎有些耳熟，但一时却又想不起来。

"就是几天前去找你的大学生，我们一共四个人去拜访你的。"

"对，我想起来了。现在都半夜了，找我有什么事吗？"

"我们想告诉你，我们现在已经到了。"

我一时还没反应过来："到了？到哪儿了？"

"荒村——"电话里他的声音显得异常兴奋，"我们已经到荒村了！"

这句话我听清楚了。手机差点没从手上掉下来，一瞬间脑子很乱，不知该说什么才好。我语无伦次地问："到了？做梦的时候到的吧？"

"没有，我们真的到了！"这回说话的人换成了女生，"我是韩小枫，我们确实已经到了荒村，几分钟前才刚刚赶到，现在我们就在村口的石头牌坊底下。我们用手电筒照到了牌坊上的字，和你小说里写的一样：贞烈阴阳，对吧？"

手机里似乎还夹杂着海风的呼啸声，现在是涨潮还是退潮？我只能机械地回答："没错。你们是怎么找到荒村的？"

　　"不要担心，我们是自己查到的。好了，现在我们要进入荒村了。"

　　"别那么着急，你们还可以等等。"

　　"等等？现在可是深更半夜，难道你想让我们露宿在山上？"

　　"这……"

　　我还想再说什么，但被她打断了："好了，我们还会和你联系的，这么晚打扰你，实在很抱歉。拜拜。"

　　对方手机挂了。

　　我拿着手机愣了许久，耳边似乎还回响着荒村那可怕的风声。我的呼吸越来越急促了，索性走到窗边透透气，希望能冲淡刚才的通话带来的巨大的压抑感。

　　他们真的到了荒村？

　　不！噩梦开始了。

是的，我的噩梦也渐渐开始了。

当初写《荒村》的时候，我没有意识到它会有那么大的能量，使得那四个大学生如同着了魔一样，居然真的找到了荒村。知道他们抵达荒村之后，我实在无法预测接下来会发生什么，要知道现实绝不会如小说那样浪漫，如果牙买加客栈真的存在的话，那么一定会比杜穆里埃的小说恐怖一万倍。

这天上午，我的手机收到了一条彩信，手机号码显示发信人就是昨天半夜里，给我打电话的大学生。

我打开了彩信图片。这是用手机的摄像头拍的，背景就是荒村村口的石头牌坊，四个大学生站在牌坊底下，表情都异常兴奋，做出了"V"的手势。

四个人都在照片里了，那么又是谁为他们拍的呢？也许是请当地的村民为他们拿着手机拍的吧。昨天晚上，四个大学生一定都进入荒村了，不知他们是在哪里过夜的。

看着彩信图片里他们的脸，却有了一种特别关心他们的责任感，虽然我也是个年轻人。是啊，如果没有我写的《荒村》，他们怎么可能会到那种地方去呢？如果他们在荒村出了什么意外，至少我在道义上是脱不了干系的。

可他们又是怎么找到荒村的呢？

但现在我可以告诉你们，当初我是怎么发现荒村的。

几个月前，我在一夜之间读完了那本《古镜幽魂记》的线装书，就下定决心一定要找到荒村。于是，我去了上海图书馆，里面有一间内部资料阅览室。那是我经常光顾的地方。

不过，要查一个叫"荒村狂客"的清朝作者简直如大海捞针。那个时代，每个文人都有好几个奇怪的名号，许多有名的清代文章著作，后世只知道其作者的笔名，至于他究竟是谁已经无从考证了。所以，我先查《古镜幽魂记》的出版者：杭州孤山书局，而印行时间则是乾隆四十三年。我花了整整一天时间，总算查到了杭州孤山书局。据资料记载，这家书局创立于康熙十九年，一直经营到咸丰六年才关门大吉。当年的

31

书局就相当于今天的出版社，那时候的书局数量很多，但规模大多很小，随时都有破产关门的危险。杭州孤山书局到底印行了多少书，资料里并没有记载。而《古镜幽魂记》也未见其他文献资料里有所提及，看来我手头的这本《古镜幽魂记》，应该是一本罕见的绝版书。这样一来，线索又中断了，在没有旁证的情况下，如何才能知道荒村在哪里呢？或许，它根本只是作者臆想出来的一个地方？

这时候，我突然想到了地方志。对，如果荒村和西冷镇真正存在的话，那么它们应该可以在地方志上反映出来。阅览室里正好收藏了大量的明清地方史志，我只要查浙江那一块就行了，而《古镜幽魂记》里的荒村位于海边，那么我要查的范围就更小了，只需翻阅清朝中晚期浙江沿海各府县的府志和县志就可以了。但这又谈何容易，一本清朝的县志就有好几卷，几天几夜都看不完。我便主要从目录和索引着手，看有没有关于西冷镇的条目。终于在下午五点，阅览室马上要关门时，我从一本府志上查到了西冷镇。

那本古籍关于西冷镇的注释里果然提到了"荒村"，我立刻把那段话记录了下来——

荒村，今地名，西冷东二十里，城厢东南四十里，东濒碧海，西倚苍山，南枕坟场，北临深壑，地之不毛，故曰荒村。荒村自古不与外通，传其地不祥，其人不善，四邻八乡，无人胆敢入其村，闻荒村之名，皆惊惧之，若有稚童顽劣，但喝一声："送尔去荒村！"稚童立胆寒矣。惟前朝嘉靖年间，荒村尝出一生高中进士，明世宗御赐牌坊一块彰表其母贞烈。

（古书上的文言没有标点符号，现我自注标点以方便读者阅读。）

看来这荒村确有其地，西冷镇也绝非作者杜撰。我又抄了几页府志，总算弄清了西冷镇和荒村所在的具体府县，匆匆离开了图书馆。

接下来的事就好办多了。根据清朝的府县名称和位置，很快查到今天的K市，果然在K市的交通图上发现了西冷镇。（浙江省地图我也查过，但在省图上是查不到西冷镇的。）

终于知道荒村在哪里了。我立刻作了一些旅行准备，带着那本《古镜幽魂记》，便独自登上了上海开往 K 市的长途大巴。

经过六七个小时的颠簸，我抵达了 K 市。然后又换乘中巴，才到了西冷镇。我在西冷镇向人们询问荒村的情况，但当地的年轻人似乎都没有听说过荒村这个地方。我又找遍了西冷镇所有的汽车站，也没有一辆客运中巴是通往荒村的。

后来，我问了镇上的几位老人，才知道确实有荒村存在，而且就在西冷镇东面二十里外的海边。据说荒村那地方很不吉利，西冷镇和附近的人都非常忌讳荒村，从来没有外人敢到荒村去，而荒村人也很少到西冷镇上来，那里几乎是个与世隔绝的世界。如果要去荒村的话，只能步行走一段很长的山路。

老人们一个劲儿地劝我不要去，我问他们荒村为什么不吉利，具体的他们也说不清楚。然而，他们说的这些话，更加激起了我心底的探险欲。于是，我什么都顾不上了，当天下午就步行出发，走上了那条通往传说中荒村的山路。

山路崎岖难行，四周的环境就如我在小说里所描述的那样。傍晚时分，我终于抵达荒村，当时的心情实在难以用语言来形容。我记得自己在村口仰望那座明朝的大牌坊时，感到"贞烈阴阳"那四个大字让人有些喘不过气来。

我小心翼翼地走进荒村，偶尔能看见几个村民。他们看见我以后都显得非常惊讶，就像见了鬼似的，或许我成了荒村的不速之客。我在荒村里转了一圈，在众多的瓦房间，有一所像是深宅大院的老房子。我大着胆子敲了敲门，开门的是一个五十多岁的中年人，他盯着我看了一会儿，我便如实地向他说明了来意。

他就是欧阳先生，这栋老宅"进士第"的主人。欧阳先生待我还算客气，那天我赶了二十多里山路，实在是饿得不行了，他留我吃了一顿晚饭。说实话，到现在我还忘不了那顿晚餐的美味可口。欧阳先生又主动请我住在进士第里，他说荒村从来没有外人来过，所以也没有一家旅

33

店,而进士第里则有很多空房子。虽然这房子看起来有些吓人,偌大的宅子里只住了欧阳先生一个人,但这正好满足了我的探险欲和考古欲,我便在进士第里过了一夜。

我在荒村的第一夜平安无事,并没有那些传说中的可怕事物出现。第二天,我向欧阳先生请教进士第古宅的历史,他向我娓娓诉说了古代的那三个故事。关于欧阳家祖先的三个故事深深震撼了我,以致后来我把这三个故事几乎原封不动地写在了小说《荒村》里。

我拿出了那本《古镜幽魂记》,欧阳先生显得很吃惊,他也拿出了完全相同的一本书,据说那是他们家族祖传的。显然,"荒村狂客"就是荒村欧阳家族在清代的一位先人。至于这位《古镜幽魂记》作者的生平情况,欧阳先生也说不清楚。

此后的两天内,我在荒村周围走了走,仔细地观察了附近的地形和环境,果真是个险恶的不毛之地。虽然荒村正对着大海,却丝毫感受不到海边小村的浪漫,反而让人有一种死紧的被压迫感,似乎黑色的大海随时都会把村庄吞没。也许正是因为环境的原因,才造成了荒村人沉默保守的性格吧。

除此以外,我在荒村并没有更多的发现,只是觉得进士第里弥漫着一股特别的味道,似乎隐藏着什么东西。我也试图就此请教欧阳先生,但他总是闭口不谈,似乎还担心着什么。

荒村还有许多秘密,但我的谨慎又使我不敢深入到村民中去,我觉得他们身上有一股阴郁之气,让人望而生畏。必须承认,那次荒村之行并没有达到预期目的。进士第古宅、御赐牌坊、海边的坟场,还有欧阳家族的那三个故事,都使荒村的悬念更加强烈了。然而,我却无法真正深入进去,荒村的秘密就像一个巨大的迷宫,我已经找到了迷宫的大门,却没有打开大门的钥匙。

……

够了,我不愿再回忆下去了,让这些记忆都永远地遗忘吧。

这些天发生的一系列离奇事件,使我越来越疲倦。晚上我没有上网(其实是担心网络上那个无所不在的"聂小倩"又来骚扰我),早早就睡觉了。

不知过了多久，一阵急促的手机铃声把我从梦中拉了回来。我晕头转向地睁开眼睛，天哪，现在是凌晨三点，我立刻想到了在荒村的那几个大学生。

哆哆嗦嗦地拿起手机，但电话那头却没有声音，通话还在继续，我大声叫了几下："是霍强吗？还是韩小枫？你们在荒村吗？"

还是没有声音，我又等了好几秒钟，正当等得有些不耐烦时，突然听到了一个细微的女声："你在和谁说话？"

不是他们！我一下子愣住了，那个声音是完全陌生的，极富磁性地刺激着我的耳膜。我试探着问道："请问你是哪位？"

但对方的声音又没了，我连着"喂"了几声，只听到一些奇怪的杂音。

究竟是谁呢？瞬间，我的心里微微一颤，似乎是神奇的第六感，让我想到了一个不愿意想到的人。

"聂小倩？你是聂小倩吧？"

我小心翼翼地问了一句，但对方不回答，我接着追问道："是你，一定是你！为什么不说话？"

就在这时，对方结束了通话。

终于，我长出了一口气，把手机扔到了沙发上。

其实我心里也没有底，真的是那个"聂小倩"吗？可她又是怎么知道我手机号码的？难道她真是个无孔不入的幽灵？

我真怀疑她是不是有精神病啊？凌晨时分把我从梦里叫醒，又像个鬼魂一样飘然而去。

这一晚，我再也没睡着过。

第六天

凌晨的神秘电话让我疲惫不堪，天亮后眼皮总是耷拉着睁不开。但是，今天说好了要去编辑部谈稿子，上午还是硬着头皮出了门。

在穿过地铁检票口的时候，忽然感到后面有什么东西，回头一望是一排长长的人群。但我能感到人群里有双眼睛在盯着我。就这样我在检票口站了十几秒钟，后面排队的人纷纷愤怒地叫了起来，我只好摇摇头走了进去。

进入地铁站台，那种奇怪的感觉依然存在，我警觉地向四周张望着，一张张冷漠的脸在视线里穿梭，就像这冰冷的站台。地铁列车呼啸着进站了，我随着喧闹的人流挤进车厢，面对着一排靠窗的座位。列车进入黑暗的隧道，我的脸随即在窗玻璃上时隐时现，在我的脸后面还有许多人的脸，那些眼睛和表情的印象是如此奇异，就像一部叫《天使艾美丽》的法国电影。

是的，我能发现那双眼睛，我确信她正在某处悄悄地盯着我，只是现在找不到她。她就像个无声无息的影子，始终与我保持着一定距离，却又不让我从她眼里溜走。

她在跟踪我。

你在哪儿？你给我出来——你是闯入我生活中的阴影，还是一个突如其来的幽灵？

突然，我发现这节地铁车厢里所有的人都在盯着我，就好像发现了一个精神病人。原来，刚才我大声地自言自语了起来，几乎让整节车厢的人都听到了。

我羞愧地低下了头。幸好这时到站了，我急忙低着头挤了出去。我不知道她是否跟在后面，但我再也不敢回头看了，匆忙地跑出了地铁车站，像要甩掉尾巴一样飞奔起来，一口气跑到了巨鹿路上。

下午一点半，我心神不宁地从编辑部出来，伸手叫了一辆出租车回家。到家后，我一直坐立不安，生怕那个"聂小倩"又会以某种方式找到我，所以早上出门前就把手机关掉了。晚上，连电脑都没有开。我把发表在杂志上的中篇小说《荒村》翻了出来，"小枝"这两个铅字立刻跳入了眼帘。

小枝？

是的，在小说《荒村》里，我还写了一个重要的人物，这就是欧阳先生的女儿小枝，她成为了小说的女主人公，也激起了很多读者的兴趣——然而，这只是小说的虚构而已。

事实上我从没见过小枝。

几个月前我来到荒村，在那栋古老的宅子进士第里，只见到欧阳先生一个人。他是一个很奇怪的人，时而沉默时而又喋喋不休，我还记得欧阳先生的脸，在古宅大堂昏暗的灯光下时隐时现。他就像不幸的祥林嫂一样，对我反复地唠叨着同一句话——他说他有一个漂亮的女儿，名字叫小枝，女儿从小就非常聪明，是荒村最优秀的孩子，现正在上海某著名大学读中文系。

在荒村的那两天里，欧阳先生至少说到了女儿十几次，每次说起都似乎带着几分伤心。他说他很爱自己的女儿，但小枝在上海读大学，她已经很久都没回过荒村了。欧阳先生说自己非常想念小枝，有时会不知不觉流下眼泪来。

回到上海以后，我立刻到小枝所在的某著名大学去找她。在这所著名大学的中文系里，的确有一个叫欧阳小枝的女生，籍贯是浙江省K市。但是，结果却让我大吃一惊！

欧阳小枝早在一年以前，就因为一次地铁事故死了。据说她在列车进站时掉下了站台，当即香消玉殒。

知道这些消息后，我的心一下子就凉了，再也不敢继续查下去了。我更不敢把这个噩耗告诉欧阳先生，他是那样想念自己的女儿，如果他知道小枝早在一年前就已经死了……不，想起欧阳先生那副祥林嫂般的样子，我想他是绝对无法承受这个消息的。

此后的十几天里，我始终都被一种奇怪的感觉纠缠着。尽管小枝与我素昧平生，甚至从没有见过一面，但我却有了一种不可言说的悲伤和感慨，仿佛我们早就认识了似的。

于是，我决定以荒村为素材写一篇小说，在这篇特殊的小说里，一年前死去的小枝将成为女主人公。小说里的她同样死于一年以前，但她的魂魄不散，终于又回到了荒村，回到了生她养她的父母身边，并且发现了爱。至于小说《荒村》中对于小枝的描述，则完全出于我的想像。但我宁愿相信那就是小枝的样子。

尽管这样的写法有很大争议，但为了纪念那个来自荒村又死于上海的女孩，我觉得这样做是有意义的。

记忆就像溪流一样，汩汩流淌在我的脑子里，直到我闭上眼睛沉入梦乡。

子夜，电话铃又响了起来。

这个时辰急促的铃声很容易让人联想到一部日本恐怖片。心脏被铃声刺激得狂跳起来，我揉着眼睛接起了电话："喂？"

"我是聂小倩。"

刚开始我还没睡醒，几秒钟后才突然反应了过来："你说你是谁？"

"聂小倩。"

这个冷冰冰又极富磁性的女声，立刻让我惊出了一身冷汗。我连忙让自己镇定下来："今天凌晨打我手机的人是不是你？"

"是。"

"你为什么总是缠着我？今天在地铁里，你是不是在跟踪？告诉你，我能感觉到你的眼睛。"我感觉当时我都有些要崩溃了，"今天我把手机关了，你现在又打到我家的固定电话，你真像个无孔不入的幽灵！"

"幽灵？我就是个幽灵。"

"精神病！"我终于忍不住了。

但她的声音却很平淡："没关系，你会相信我的。"

"不要再来骚扰我，否则你会后悔的。"

"不，我会再来找你的，再见。"

她的电话挂了。

放下电话后，我才发觉背心已经被冷汗浸湿了。我大口地喘着气，仿佛刚刚从水里爬出来。

聂小倩？

她真是从蒲松龄的《聊斋》里跑出来的幽灵吗？

第七天

昨天晚上又没睡好。早上艰难地爬起来后，我花了整整一个上午的时间，考虑如何摆脱可恶的骚扰。中午，我终于打开手机，立刻收到了好几条短消息。让我感到惊讶的是，其中有一条正来自荒村——

"有重要的事情问你，请打我手机。霍强。"

霍强？我想起来了，就是去荒村的那四个大学生里为首的一个。

这条来自荒村的短信让我心里一颤，我又看了看短信发出的时间，是昨天上午十点。昨天为了防止被骚扰，我把手机关了整整一天，也许他们真的出了什么事？

在房间里徘徊了好一会儿，我终于拨通了霍强的手机。

电话那头传来霍强焦急的声音："喂，是你吗？昨天我们给你打了一天的手机，可你一直都是关机。"

现在声音很清晰，并没有上次奇怪的杂音，我冷冷地问道："快说吧，出了什么事？"

"我们找到了那间叫进士第的古宅，果然和你小说里描述的一模一样，深宅大院，阴森恐怖。但是，偌大的古宅里一个人都没有，所有的房间我们都找遍了，全都是空关着的。"

"欧阳先生不在家吗？"

"什么欧阳先生啊，是你小说里编出来的人物吧？"

我感到了一些不对劲儿："你什么意思？"

"昨天我们去问过村民们了，他们说欧阳先生在八个月前，就因为癌症病死了。"

"什么？"

"欧阳先生是个死人，八个月前就已经死了，荒村所有的人都这么说，我们甚至还在山上发现了他的坟墓。"

瞬间，我的后背又有些发凉了："不可能，绝对不可能！"

"我没有骗你啊，怪不得你在小说里写欧阳先生全家都死光了，是不是啊？"

"不！"我一下子懵住了，不知该如何向他们叙述我所看到的一切。忽然，我预感到了什么，仿佛荒村的气息已通过电波传入了我的房间，我立刻大叫了起来："霍强，你们现在在哪里？怎么样了？"

"就在进士第里，我们四个人都在啊。"

"快离开，你们赶快离开荒村，立刻回到上海来。"

但霍强在电话里却执拗地说："不，我们还没有知道荒村的秘密，我们不能离开。"

他把电话挂掉了。

许久，思维才从混乱中慢慢恢复了过来，仔细地回想着刚才霍强说的话——欧阳先生真的死了？

他说欧阳先生在八个月前就死了，可我在四个月前抵达荒村时，不是亲眼看到欧阳先生了吗？他还热情地招待我住在进士第古宅里，关于欧阳家祖先的那三个故事，也都是他亲口告诉我的。

如果真如霍强所说，欧阳先生在八个月前就死了的话，那么四个月前我在进士第里，见到的那个欧阳先生又是谁呢？

难道他是……不，我不敢再想下去了，虽然我写过那么多惊悚小说，可从没真正经历过这种可怕的事情：活见鬼。

不可思议！我只能用不可思议来形容这件事。

想想这个曾经与自己面对面接触过的人，居然在当时已经死去了好几个月，这叫人怎么相信呢？

这时候我的脑子又乱了，正常的逻辑已经无法解释这一切，难道这也是荒村神秘的一部分吗？

突然，我想到了一个人。

他就是叶萧。

读过我长篇小说的人都知道，叶萧是我的表兄，他是一位优秀的警官，曾经多次出现在各种神秘案件中，也曾经给予我许多帮助。

现在我遇到了如此棘手的事情，能帮我的人看来只有叶萧了。

晚上，我来到了叶萧的家里。

我的突然造访让叶萧多少有些意外，他还是过去那副样子，年轻冷峻的脸庞上透着一股成熟气息。他说他最近刚办完一个神秘的案件，这几天正好在休假中。而且，他也看过我的中篇小说《荒村》。

寒暄几句后，我便直入主题，把几个月前我去荒村，回来以后发表了小说《荒村》，以及最近我所遭遇的几件麻烦事，全都原原本本地告诉了叶萧。

说着说着，我自己也害怕起来。说完最后一个字，额头上的冷汗都掉了下来——这完全不是我一贯的风格。

听完这一切之后，叶萧半晌都没有吭声，他还是那样冷峻沉着，默默地回味着刚才听到的每一个细节。但这一次他陷入了深思之中，好像围棋高手突然遇到了一盘难解的残局。

然而，他的回答却让我失望了："你确定这些都是真的吗？"

"当然，当然是真的，你以为这是我的幻觉，或者又是一部小说吗？"

叶萧淡淡地回答："你先不要紧张，我理解你的心情。现在，主要有两件事让你非常头疼：第一件是去荒村探险的那四个大学生，今天他们在电话里告诉你，你在四个月前见到过的欧阳先生，其实早在八个月前就死了，这让你陷入了深深的恐惧之中；第二件是有一个自称聂小倩的神秘女子，她利用荒村的一些荒诞不经的传说，不停地骚扰着你，甚至还悄悄地跟踪你。"

"没错，你一定要帮我。"

"放心吧，你的事就是我的事。只是，我觉得你不应该继续插手，就让这些事情过去吧，过不了多久大家都会遗忘的。"

"好吧，那请你告诉我，我现在该怎么办？"

"第一件事现在没法解决，除非你自己再去荒村一趟。"

我立刻摇了摇头："不，我不会再去的。"

"……第二件事我倒可以帮你一把。"

第八天

又下雨了。

淋漓的雨浇凉了春夏之交的上海，所有的植物都在雨水中疯长着，向每一处缝隙扩展着绿色的枝叶。在郁郁葱葱的爬藤阴影下，我撑着伞悄然出门，四周弥漫着蒙蒙的水汽，如雾般把我笼罩了起来。

雨天的地铁里有一股霉味，一反常态地冷清而寂寥。我不紧不慢地穿过检票口，下到略显空旷的地铁站台里。我并没有如往常那样站在黄线后等车，而是拣了个座位坐下，然后拿出一本书看了起来。

地铁列车呼啸着进站了。我冷冷地看着车门打开，里面的人出来，外面的人进去，自己却坐在站台椅子上不动声色。几秒钟后，车门关上了，列车又飞驰着离去。

不一会儿，另一个方向的列车又开来了，我依然稳稳地坐在站台椅子上，眼睁睁地看着列车开走。就这样二十分钟过去了，我始终坐在这张椅子上，有好几列车从我两边开来又开走。

突然，我离开站台向上层大厅走去。

这时我加快了脚步，很快就从检票出口走了出去。

就当我要离开地铁车站的时候，身后传来了一阵清脆急促的脚步声。我立刻警觉地回过头去，看见了一个二十出头的女孩子，她穿着一身黑色的衣服，正撒开双腿向我这边跑来，头发随之飘动了起来，模样煞是吸引人的眼球。

她在奔跑的同时，那双眼睛还在盯着我。我们冷冷地对视着，直到她跑过我的身边。突然，我伸手抓住了她的手腕，感觉就像捏着猫咪的骨头一样柔软。她嘴里轻轻地叫了一声，然后又挣扎了几下，但我是不会让她走的。

"聂小倩?"我盯着她的眼睛问。

她一下子怔住了，眼神里露出一股抑郁和倔强。然后，便低下头不再挣扎。

这时，叶萧总算跑过来了，他看着眼前的女子说："肯定就是她。我已经悄悄观察她二十分钟了，她一直远远地看着你，你离开站台她也跟在后面，这时候我过来向她问话，她立刻就向出口跑了过去。"

原来昨天晚上，叶萧为我想了一个办法，用"引蛇出洞"之计，把这个"聂小倩"找出来。当我进入地铁站时，叶萧就悄悄跟在我后面。我装得像个傻瓜一样，在站台上坐着不动，故意错过许多次列车，如果有人盯着我的话，就会和我一样也错过许多列车了，这样很容易就会被发现的。果然，叶萧注意到了这个奇怪的女孩子，并断定她就是跟踪我的人。

现在，她就在我手中。

她终于抬起头来，用带有几分委屈的眼神看着我，轻轻启动嘴唇："你把我弄疼了。"

"对不起。"

我的手立刻像触电似的缩了回来，面对眼前这个楚楚可怜的年轻女孩，我变得有些手足无措了。她与我想像中的骚扰者完全不一样，我原来要大发雷霆的一长串话，现在却一个字都想不起来了。

她揉了揉自己的手腕，看着我和叶萧说："现在你们已经把我抓住了，随便你们处置吧。"

我却泄了底气般，怯生生地说："我们不会拿你怎么样的。"

我又轻声地对叶萧说："谢谢你帮我找到她，我想单独和她谈一谈好吗？"

叶萧看了看女孩的眼睛，然后对我轻声耳语道："好吧，不过你要小心一些，千万不要心太软，依我的经验——天使往往与魔鬼同在。"

说完最后一句意味深长的话，叶萧微笑着拍了拍我的肩膀，然后郑重其事地对女孩说："不好意思，刚才让你受到惊吓了。我是一个警官，他是我的表弟，我们都不是坏人，希望你以后不要再骚扰他了，否则我会再找到你的。再见。"

叶萧快步离开了地铁车站，只剩下我一个人看着黑衣女孩，不禁紧张起来。她缓缓呼出了一口气，盯着我的眼睛说："我就是聂小倩。"

难以置信，她给我第一眼的感觉，活脱脱就是《聊斋》里的聂小倩。

记得小时候看白话本《聊斋》，每当读到《聂小倩》时，眼前就会浮现出一个古装女子的形象：她无声无息地出没于古老寺庙中，有着乌黑的披肩长发，纤细修长的腰肢，美丽狐仙似的瓜子脸，还有一双春天池塘般的眼睛，最诱人的是她眼神里淡淡的忧伤，仿佛是微微划过水面的涟漪……

现在，她就在我眼前。

但我却不敢再看她了，她的脸就像重复播放的电影画面，又一次勾起少年时的幻想，我情不自禁地轻叹了一声："实在太像了。"

"你说像什么？"

如电话里听到的一样，她的声音宛如磁石，这就是《聊斋》里女主人公的声音了？我尴尬地摇摇头说："没什么……我能请你喝杯茶吗？"

她侧着脸说："我已经是你的猎物了，随你的便吧。"

于是，我带着她离开了地铁车站，外面的雨比刚才更大了，我们走进了陕西南路的一家小茶坊里。

刚一坐下，她盯着我的眼睛说："你好像有些紧张嘛。"

"我紧张吗？"我故意避开她的目光，看着窗外的雨景说，"当然，和《聊斋》里跑出来的人坐在一起喝茶，哪有不紧张的？"

她却不以为然，依然直盯着我的眼睛，冷冷地问："你真的去过荒村吗？"

"是的，我去过荒村，绝对没有骗你。"

"可你的《荒村》里错误太多了，一点儿都不真实。"

"《荒村》是小说，小说就是真实与虚幻的混血儿。"

她轻蔑地说道："那你离真实可太远了，你的荒村不过是在望远镜里见到的一幅画而已。"

"是的，荒村一定还有许多我不知道的秘密。"我可不想被她牵着鼻子，立刻转移了话题，"现在该轮到你回答了，你真的叫聂小倩吗？"

瞬间，她的眼睛里掠过了一丝惊恐，我猜她似乎想起了什么，但又一下子滑了过去。她点了点头说："是的，我的名字叫聂——小——倩。"

她最后三个字拉了很长的音，几乎把隔壁桌子的人都惊动了。

"太不可思议了，世界上竟有这么巧合的名字。"我苦笑着说，"你爸爸一定从来没读过《聊斋》，或者……读《聊斋》读得太入迷了。"

"够了！一个人叫什么名字真的很重要吗？"

我盯着她飘忽不定的眼神说："是的，非常重要。你知道吗？你的样子真的很像书里写的聂小倩。"

"好吧，我让步。"她有些无奈地耸了耸肩膀，"如果你坚持认为聂小倩这个名字，会让你联想起《聊斋》里的女鬼，那就请你就叫我小倩吧。"

"小倩？"

"对，聂家的小倩。"

我连忙点了点头："不错，这样叫起来就好听多了，感觉就像隔壁邻居的女孩——小倩。"

忽然，她又不耐烦起来："我已经对你让步很多了，现在我可以走了吗？"

"可我还有许多问题要问呢。"

"现在我要上班去了，以后再慢慢问吧。"

她急匆匆地站了起来。

我跟在她身后问："可谁知道再上哪儿找你去？"

"我就在对面的冰淇淋店上班，你随时都能来找我。"

淋漓的大雨浇在她身上，她像只小鹿一样冲出了茶坊，低着头一路小跑穿过横道线，闪进了马路对面的一家冰淇淋店。

我一时没反应过来，还愣在茶坊门口，不知道该不该到对面去。几分钟后，她出现在冰淇淋店柜台后，身上已经换了一件橙色工作服，长长的黑发在脑后束了一个马尾辫。

"卖冰淇淋的聂小倩？"

我忽然笑了起来，一些雨丝飘到了我的鼻尖上。

第九天

清晨醒来，发现昨夜的大雨总算停了，但对面的几栋大楼都还湿漉漉的，空气中弥漫着潮湿的味道，不知荒村是否下雨了。

奇怪，怎么又想到荒村了？心里又是一颤，走到卫生间看着镜子里的自己，轻声说道："忘了那个地方吧。"

心情终于好了一些，我给了自己一个笑脸，然后开始洗漱。

几分钟后，正当我满嘴牙膏泡沫时，手机忽然响了。

我来不及漱口，就急匆匆地拿起手机，听到了一个女生的声音："喂，我是韩小枫啊。"

又是去荒村的那几个大学生！我的手一哆嗦，然后强作镇定地问："你们还在荒村啊……又怎么了？"

"救救我们，你要救救我们！"她的声音是那样刺耳，吓了我一大跳，周围似乎还有其他人在七嘴八舌地说话。

我含着满嘴的牙膏泡沫说："到底发生什么事了？韩小枫，你慢慢说。"

"我看见了！我看见了！"

听着这声嘶力竭的声音，我就能想像出她的表情。

"看见了什么？"

"昨天晚上……十二点钟……我……我在进士第里……看见……"她断断续续地说着，似乎有些语无伦次，"我看见……看见……那个东西了！"

"什么东西啊？"其实我也有些心虚，我真怕她会说出那个可怕的字。手机里传来韩小枫半哭着的声音："你知道的……你一定知道那个东西的。"

我知道那个东西？天哪！那又是什么东西呢？我都快被问傻了。

突然，对方的声音变成了一个男生的："对不起，韩小枫她没事。"

"你是谁？"我警觉地问。

"我是霍强。"

我长出了一口气："到底发生了什么事？"

"没……没什么事，我们四个人都很好。一切……一切正常。"

"那韩小枫怎么了？"

"她早上醒来前做了个噩梦，到现在还以为那是真的。现在她已经安静了，请放心吧。"霍强的声音显得非常匆忙，"对不起，打扰你了。"

还没等我说话，对方就结束了通话。我缓缓放下手机，回味着这个来自荒村的电话，然后回到卫生间刷完了牙。

不，韩小枫不可能是做噩梦，她一定在进士第里看到了什么。后面霍强说的那通话明显是在骗我，可他为什么要向我隐瞒呢？

他们究竟在荒村发现了什么？

第十天

十。

这是一个特殊的数字，我觉得它更像是一扇大门，在"十"以前我们缓缓地在大门前徘徊，可以等待也可以回头。但只要我们一走进这扇大门，"十"这个数字就会变成一捆绳索，套在我们的脖子上牵着我们向前狂奔，无论前头是天堂还是地狱。

今天，就是这个故事的第十日。

整整十天以前，那四个大学生突然造访我的房间，将他们大胆的探险计划告诉我。在同一天晚上，我又收到了一封神秘的 E-mail，这封 E-mail 来自一个叫"聂小倩"的女孩。从此，他们就把我拖入了旋涡之中，一步一步地带到恐惧的大门前。

我该走进去吗？

这个问题整天缠绕着我，搅得人心烦意乱。到了傍晚，我实在坐不下去了，房间里似乎还残存着昨天早上那来自荒村的铃声，和韩小枫恐惧的嘶喊。我匆匆走出房门，向陕西南路走去。

——我去找一个人。

在陕西南路那家小茶坊前，我终于停下脚步。隔着马路上的滚滚车流，我看到了对面的冰淇淋店。红色的霓虹灯照射着店门口，几个不怕发胖的小女生正舔着冰淇淋。柜台里的女孩穿着橙色工作服，正在手忙脚乱地做着冰淇淋，脑后的马尾辫随之一跳一跳的。

她就是"卖冰淇淋的聂小倩"。

今晚冰淇淋的生意好得出奇，好不容易柜台前才空了下来，她终于有机会抬起了头。我仍然站在马路对面，就像看城市街头的夜景那样，安静地看着她那双眼睛。就这样过了大约一分钟，她也看到了我。

我总不太习惯和别人四目相对，尤其是隔着一条车水马龙的街道。许多辆汽车从我和她之间呼啸着飞过，但奇怪的是，街头那盏霓虹灯始终照亮着她的脸，而她的眼睛也始终清楚地停留在我视线中。

绿灯亮了。

我从容地走过马路，来到冰淇淋店柜台前。她静静地看着我，丝毫没有惊讶的表情。柜台边没有其他人，我故意装做漫不经心的样子说：

"我要一个草莓冰淇淋。"

她冷冷地看了我一眼，然后一声不响地转过身去，把一个草莓冰淇淋交到我手里。

"谢谢。"我站在柜台前咬了一口冰淇淋说："嗯，好久都没有吃过草莓味的东西了。"

终于，她开口说话了："你喜欢吃冰淇淋?"

"不，极少吃。"我一边说，一边舔着冰淇淋，"今天例外。"

她依旧那副表情，平静地看着我一点点吃完冰淇淋，突然说："对不起，你还没给钱呢。"

"不好意思。"我匆匆把钱掏给了她，有些尴尬，"你什么时候下班，我想和你谈谈。"

"那你可能要等很长时间，因为我要等接班的人来。"

我用满不在乎的口气回答："等多久都行。"

随后，我闪到冰淇淋店门旁边，用眼角瞄着柜台里的她。

没想到接班的人很快就到了，柜台里的她显得有些无奈。两分钟后，她换好衣服出来了。还是那件紧身的黑衣，霓虹灯把她的体形勾勒了出来。她低着头走到我身边说："还是去对面吗?"

"嗯——好吧。"

我们穿过马路，走进那家小茶坊。坐定后，她还是摆着那副平淡的表情，说："你小说里写的就是这个地方吧?"

"什么?"

"在小说《荒村》中，你和小枝第一次认识后，你把她带到了地铁附近的一家小茶坊里，并向她提出了去荒村的请求。"

"对，虽然这些内容都是虚构的，但这间小茶坊却是真的。事实上我经常来这里，可从没注意到对面的你。"说完，我看了看马路对面的冰淇淋店，现在柜台前又排起了队。

"我上个月才到那里打工。"

"看你的样子还在读书吧? 是哪一所大学的?"

她不置可否地回答："算是吧。但我不会告诉你我学校的名称。"

"你究竟是谁?"

"这重要吗?"她回避我的目光。

"好吧,既然你不肯说,那我就换一个问题——你真的知道荒村的事,还是根本就是你自己的幻想?"

"当然不是!"她的表情变得异常严肃,"我发誓,我所说的关于荒村的每一句话,全都是真的。荒村,可不是谁都能开玩笑的。"

她的最后一句话我倒是承认。于是,我也变得严肃起来:"那么,就请说说荒村的那口井吧,到底是你看了小说后的幻想,还是人云亦云道听途说?"

"你真的看到那口井了?"

"当然看到了,就在进士第老宅的后院里。只不过,我感觉到那口井有股特别的味道,我不敢把它写进小说里。"

"特别的味道?"

"是的,当我面对那口井的时候,我觉得一阵恶心,除了闻到特别的味道以外,似乎还能听到某种奇怪的声音……"

突然,我打住话头。这种话怎么能在她面前说出来呢?

她盯着我的眼睛,似乎在期待着我接下来的话,但我并没有说下去。僵持了片刻后,她终于缓缓地说道:"我知道那是什么特别的味道——死人的味道。"

她的话像利冰一样扎进我心里,我的心脏莫名其妙地狂跳起来。"你又在故意吓唬我吧?"

她摇摇头,异常冷静地说:"现在,让我来告诉你——这口古井的秘密吧。"

"古井的秘密?"

聂小倩微微颔首抿了口茶,娓娓道来:"清末民初的时候,虽然荒村依然是不毛之地,但欧阳家族却做起了海上走私的生意,成为荒村最富有的家族。欧阳家族住在古老的进士第里,过着钟鸣鼎食的生活,前后三进院子装饰得富丽堂皇,在荒村这种地方简直就是宫殿了。进士第古宅的后院,在当时是一个小花园,里面种满了各种珍贵的树木和花

55

草，地上铺着鹅卵石的小径，花草间有几块太湖假山石，每年最冷的时候，那树梅花就会悄然绽放。"

"梅花？"随着她柔声的叙述，我眼前似乎浮现出古宅后院的景象。

"你看见梅花开了？"

"是的。我见到的古宅后院，根本就不是你描述的小花园，而是一个凄凉荒芜的小院子。那口古井就在院子中央，井边开着一树梅花，还有一些花瓣散落在井台边上。也许是巧合吧，我到荒村时正好是最冷的季节，那树梅花就好像是等着我来一样。那种感觉很奇怪，在古宅荒凉的小院子里，只有一口古井和一树梅花，就好像是另一个时空的景象。"

"另一个时空？"她若有所思地点了点头，"你这个比喻非常好，那就再说说另一个时空的荒村吧。民国初年，欧阳家的老爷已经四十多岁了，却一直没有子嗣。当时欧阳家是一脉单传，欧阳老爷并没有其他兄弟子侄，这个古老的家族眼看要断香火了。虽然，欧阳家的生意红红火火，俨然是荒村的土皇帝，但欧阳老爷却怎么也高兴不起来，结婚数年都没有怀孕的太太也终日以泪洗面。为了延续欧阳家族的血脉，太太终于想出了一个办法——典妻。"

"典妻？想起来了……我很早就看过柔石的小说《为奴隶的母亲》。"瞬间，书中那些文字又浮现了出来，我拧着眉毛想起那部悲惨的小说——民国初年，浙江东部的农村有个不幸的少妇，丈夫赌博酗酒，儿子春宝久病不愈，丈夫以一百块大洋的价格，将妻子"租"给了一个渴望得子的老秀才。少妇为老秀才生下了一个儿子，取名为秋宝。老秀才也很喜欢这个少妇，但老秀才的大老婆却不容许她留下。少妇只能独自回到窝囊的丈夫身边，拥抱着病中的儿子春宝度过漫漫长夜……

我摇了摇头："可是，这和荒村又有什么关系呢？"

她冷冷地吐出了两个字："典妻。"

"你说什么？"

"《为奴隶的母亲》说的就是典妻的风俗，按照一定的价格把妻子'租'给别人，租期结束后再把她还给原来的丈夫。柔石是浙江东部沿海一带的人，典妻就是当时浙东沿海流行的习俗。"

"荒村也在浙东沿海——我明白你的意思了，当年荒村也流行这种典妻的恶俗？"

她点了点头："对，当年欧阳老爷和太太，为了延续家族香火，就在荒村挑选了一户贫穷的夫妇。那对夫妇生有一个健康的儿子，但丈夫体弱多病，年轻的妻子辛劳操持着家中一切。欧阳老爷花了八十块大洋，那少妇便成了他的典妻，租期三年。这少妇被送入了进士第古宅里，进门当晚便为老爷侍寝。典妻虽然生在贫苦人家，但很有几分清水芙蓉的姿色，比那浓妆艳抹的正房太太美多了，所以颇得老爷的欢心。一年以后，典妻果然为老爷生下了一个儿子，欧阳家族也终于后继有人了。"

"古人云：母凭子贵。这典妻的日子肯定要好过了。"

"哪有的事，生下了儿子以后，太太对典妻的脸色就变了，时常打她骂她，欧阳老爷惧内，也不敢护着典妻。租期是三年，典妻还要在进士第里待上两年，她非常想念原来家中的丈夫和儿子，但老爷却不准他们相见。典妻被锁在古宅的后院里，过着奴隶般度日如年的生活。她开始诅咒这栋古宅，诅咒给她带来苦难的欧阳家族，几次想要逃出进士第，但都以失败告终，每次都被打得遍体鳞伤。"

我不禁叹了口气："看来，她比小说中的典妻还要惨。"

"是的，后来终于有一天，她逃出了进士第，找到了原来的丈夫和儿子，他们要一起逃出闭塞的荒村，到外面的世界去寻找自由。然而，欧阳家族在荒村势力强大，哪能容许典妻逃出去？很快，他们就在附近的山上被欧阳家抓到了，那可怜的丈夫被打断了腿，而典妻则被押回了进士第。太太早就视典妻为眼中钉，认定典妻在租期内对欧阳家族不忠，荒村是个保守落后的地方，对女子不忠的惩罚就是——沉井。"

"沉井？"

"尽管欧阳老爷舍不得，但太太早已丧失了人性，将典妻五花大绑地押到后院，然后……亲手把她推到了那口古井里！"

"天哪！"我似乎听到了一阵落水声，井水飞溅到四周潮湿的井壁上，然后便是永远的黑暗……我捂着自己的胸口，半晌说不出来话来。

"你怎么了？"她那明亮的眼睛又向我靠近了一些。

"没什么。只是你说的这个故事太悲惨了，我听了有些胸闷。"

她忽然轻蔑地冷笑了一下："你不是作家吗？写了那么多惊悚小说、那么多悲惨故事，怎么会对这个害怕呢？"

"我不知道怎么搞的，也许我本来就是个多愁善感的人吧。"我摇了摇头，苦笑了一下。

"好了，关于荒村那口井的秘密，我已经告诉你了。"

"可后来呢？那口井就没有再用过吗？"

"淹死过人的井，还有人敢再喝里面的水吗？不但是那口井，就连后院的小花园也没人敢去了。人们传说典妻冤魂不散，经常在深夜的花园里哭泣……"

"所以，后院的小花园就渐渐荒芜了，只剩下一口井和一树梅花。"一个可怕的念头升起，"怪不得，那树梅花开得如此诡异艳丽，那是因为典妻在井底的缘故啊。"

说到这里，我自己都有些害怕了。

"别再多愁善感了，现在你该相信我了吧。"

"这就是荒村的秘密？"

"当然不是，这只是秘密的一小部分。对我们这些人来说，荒村永远都是个谜。"

"你是说，荒村还有许多更重要的秘密？"

她郑重地点了点头："你永远都想像不到荒村的秘密有多么可怕。"

我将信将疑地问道："真有这么可怕？"

我们的眼睛对峙了片刻，她忽然站起来："对不起，我该走了。"

"可你还没回答我的问题呢？"我感到有些意外。

"等下次吧，我会回答你所有的问题。"她说着已经走到了茶坊门口，"今天实在太晚了，我要回家去了。"

我跟着她来到陕西南路上。不远处的淮海路依旧灯火通明，照亮了她聂小倩般的脸。终于，我忍不住叫了一声："小倩——"

她回过头来，用一种奇怪的眼神看着我。

"对不起，我能这么叫你吗？"

她停顿了好一会儿才说："当然可以。"

"你住在哪里？我送你回去吧。"

"别，千万不要……"她的话突然中断，似乎想起了什么，"记住，今夜不要接电话。"

"你什么意思？"

但小倩并没有回答，转身钻进了夜行的人流中，很快就被淮海路的男男女女淹没，再也看不到她了。我独自站在马路边上，一阵凉凉的夜风吹过，又想起了那个典妻的故事。我反复回想着小倩的话，还有那口井的影像——不，也许这只是出于她的想像。可能是在她看了我的小说《荒村》以后，联想到了柔石的小说，便把《为奴隶的母亲》的情节，放到荒村和进士第的环境中，编织出了这个关于荒村和典妻的可怕故事。

可是，那口井确实存在，还有那树梅花，我都没有对其他任何人说过。而且，她的眼睛告诉我，她说的每一句话都很认真。她的样子实在不像那种骚扰者。

不，我不应该被她的外表所欺骗，天知道她还会说什么呢。

一路胡思乱想着，总算回到了家里。时间已经不早了，我觉得身体特别疲倦，没来得及开电脑，便早早地睡下了。躺在床上，内心依旧忐忑不安，翻来覆去了许久都没睡着。不知过了多久，我觉得自己越来越烦躁，便默默地在心里数起了羊。

一只羊，两只羊……一百只羊……

手机铃声突然响了起来！

我条件反射似的从床上坐了起来，在黑暗里睁大了眼睛，似乎看到了什么东西——我这才回过神来，所有的羊一瞬间都消失了，只剩下耳边的手机铃声。

"今夜不要接电话。"

突然，我想到了小倩临别时最后一句话，该不会就是她打来的电话吧？我立刻接通了手机："小倩，是你吧？"

没想到，电话那头传来了一个男生的声音。"我是霍强。"

"霍强？"是去荒村的那个大学生——听到这个名字，心立刻凉了半截，但我仍故作镇定地问道，"你们在哪里？"

"我们已经回到上海了。"

"这么快就回来了？"这个消息让我更加意外。既然已经回到上海，我本应该为他们高兴才好，可我却什么高兴的话都说不出来。

"我们在汉中路的长途汽车站下车，现在正准备坐车回学校。"

我听到电话里夹杂着许多汽车喇叭声，应该是在车站。

"你们四个人都没事吧？"

霍强沉默了一会儿，才缓缓地说："没……没事，大家都很平安。"

悬着的心总算放了下来，我松了一口气说："平平安安就好，我早就劝你们早点回来了。好了，现在快点回学校吧。"

对方又没声了，只能听到一些嘈杂的人声和车声。我的心莫名其妙地忽然又紧了一下："喂，你们怎么了？说话啊！"

可电话里还是没有回音，我等了几秒钟，然后结束了通话。

奇怪，后背怎么又出了许多汗？

黑暗中我摸索着打开了灯，现在是子夜十二点。也就是说，那四个大学生是连夜从荒村赶回上海的。

我又想到了小倩，她说今夜不要接电话，想必指的就是这个电话吧——可小倩又是怎么知道的呢？

我摇了摇头，实在没有办法解释，便关掉电灯重新躺下。

但愿他们一切平安。

第十一天

整整一天，我都在写新的长篇。我希望这部小说能够跳出我原有的思路和框框。这过程将会是非常痛苦的。但我没有想到，还会有更痛苦的过程在等待着我。

晚上，叶萧突然来到了我家里。

他面色冷峻地闯进来，用一种冷酷的眼神盯着我，顿时我的心跳又加快起来。虽然他是一个警官，但平时待我还是很随便的，我说过我写过许多关于他的小说，他经手的许多神秘案件，我也是亲身参与的，我们可以说是兄弟加挚友的关系。但是，他从来没有用这种目光看过我，那是一个警官特有的怀疑目光。

终于，我忍不住问道："为什么这么看着我？"

"你今天去哪儿了？"

"哪里都没有去，就在家里写小说。"

叶萧却又淡淡地说："别那么紧张嘛。"

"发生什么了？"

"今天上午，我接了一个案子。"他在我的地板上踱着步说，"死者是一个大学生，死在学校的寝室里。同寝室的同学早上醒来，发现他睡在床上怎么也叫不醒，才发现他已经死了。"

"他是怎么死的？"

"下午已经做过初步的尸检了，死因是心肌梗死。"

"那就是自然死亡喽？至少可以排除他杀。"

"可是，死者并没有心脏病史，而且死者的表情非常怪异，好像是极度惊恐的样子。"叶萧又拧起了眉毛，"那种表情实在太恐惧了，到现在仿佛还在我眼前晃。"

"他会不会在半夜里见到了什么？"

"我一开始也是这么想的，可与他同寝室的同学们都作证，从凌晨时分他回到寝室睡下，一直到发现他死亡的几个小时里，寝室里的四个同学，没有一个人听过或看到过任何异常的情况。"

"这么说来，他是死在睡梦中了？"我使劲摇了摇头，"这实在太离奇了。"

"对，法医也认为他的死因非常离奇，因为死者的心脏既无器质性疾病，死时又没发生过其他事情，那么惟一的可能就是——死者是在做噩梦的时候，被自己活活吓死的。"

　　"做噩梦？"

　　我还从来没听说过这样的事情，做噩梦把自己给活活吓死。

　　"这只是我的一种推测而已，就连法医也不太相信这种事情，可能是做的噩梦过于恐怖，在睡梦中严重刺激到了心脏，突发心肌梗死，瞬间停止了呼吸而死亡。"

　　"这真可怕，就像有人突然受到了惊吓，立刻就停止了心跳一样。"

　　叶萧点了点头："对，有时梦中的惊吓更加恐怖，也更加致命。"

　　"是啊，有时候我半夜里做噩梦醒来，发觉自己满头大汗，心跳也快得不得了，许多人都有过这样的体验吧？只是还没到被自己吓死的地步。可我还是不太敢相信，好像还从来没发生过这样的事啊。"

　　"对，我也从未听说过。所以，我觉得这件事太离奇了，那个大学生也死得太蹊跷了，这件事背后一定还有什么秘密。"

　　"什么秘密？你调查过吗？"

　　突然，叶萧直视着我的眼睛说："是的，我调查过了。在死者的手机里，我找到了他的通话记录，在昨天半夜十二点钟，他的手机曾打出过一个电话。而我万万没有想到的是，这个已拨出的电话号码，正是我的表弟——你的。"

　　我的心一下子坠落到井底，摔成了无数块碎片。我无力地跌坐下来，喃喃地问："死者叫什么名字？"

　　"霍强。"

　　"天哪，真的是他……"

　　"我知道你一定认识死者，所以我才来找你。"叶萧冷冷地说。

　　"他怎么会死在寝室里的呢？"

　　"据霍强的四位室友说，前几天霍强去了外地，昨天凌晨两点才回到寝室里，一到寝室就匆匆睡下了，直到早上同学们起来，才发现霍强已经死了。"

我一直僵在那里，真难以置信，昨天子夜霍强还给我打过电话，怎么几个小时以后，他就死在了自己的寝室里——他真的死于噩梦吗？还是噩梦才刚刚开始呢？

叶萧显然从我的眼睛里发现了什么，继续追问道："你怎么了？想起了什么，是不是？"

我茫然地点了点头。

"是的，他的同学说前几天霍强去了外地，你知道他去了哪里吗？"

沉默了好一会儿，我终于吐出了那两个字——

"荒村。"

叶萧略吃一惊："荒村？那不是你小说里的地方吗？"

"对。叶萧，我不是对你说过吗？曾经有四个大学生来找过我，他们决心去荒村探险，几天前他们真的找到了荒村，还几次给我打电话。"

"我明白了，霍强就是那四个大学生中的一个，是吗？"

"嗯。昨天子夜十二点钟，我接到了霍强打给我的手机，他说他刚刚回到上海，正在汉中路的长途汽车站，准备和同伴们一起回学校。"

"别紧张，你提供了重要的线索。"虽然，叶萧只比我大三岁，但他要比我老成许多。接下来，他又向我询问了那四个大学生的详细情况，我把知道的情况全都告诉了他，没有任何的隐瞒。

看起来叶萧对我的回答很满意，我们又聊了一会儿，他让我保持镇定，不要因此而担心，更不要卷入到这件事里，就像我在小说里写的那样——恐惧源于未知。

晚上九点，叶萧离开了我家。

房间里只剩下我一个人，呆呆地面对着窗外的黑夜。直到现在，我还是无法接受叶萧带来的消息，我下意识地摸了摸手机，似乎霍强还在与我通话。可他居然死了，就在与我通话结束后的几小时里。他究竟梦到了什么？

想到这里，我倒吸一口冷气，一股强烈的预感充满了我的心头，瞬间就把叶萧的关照忘得干干净净。不，我一定要知道真相，霍强究竟是为何而丧命？

在这股强烈的意念驱使下，我再也抑制不住内心的冲动，乘着夜色匆匆跑出了家门。我在马路上叫了一辆出租车，向霍强所在的大学疾驰而去。

将近十点钟，我赶到目的地。好不容易才骗过门卫，溜进了这所全国有名的大学。我已经从叶萧那里知道了霍强的班级，所以很快就找到了他所在的寝室楼。

这栋四层的寝室楼显得很旧，我低着头走上楼梯。昏暗狭窄的楼道里，似乎有几个黑影，还有一些嘤嘤的哭泣声。在这幅看似虚幻的景象里，我大着胆子走向那几个可怕的黑影。楼道里的灯一下子亮了起来，一阵轻微的尖叫响起，惨白的灯光照亮了那几张年轻的脸。

我立刻叫出了他们的名字："韩小枫，苏天平，春雨！"

原来是和霍强一起去荒村的那三个同伴，他们都面色苍白地看着我，苏天平哆嗦着问道："你……你怎么来了？"

我看着他们阴惨的脸说："我已经知道了……"

"霍强死了，他死了……"春雨又轻声地哭了出来，韩小枫一把搂住了她。

"我能去霍强的寝室看看吗？"

"当然。"苏天平点点头，打开了身后的房门。我小心翼翼地跨入房门，环视着这个大约二十平方米的房间，两边摆着双层床，窗边堆着许多杂物，散发着一股男生寝室里特有的怪味。

"寝室里其他人呢？"

"早上刚死了人，谁还敢住在这屋里呢？他们都已经搬出去了。"苏天平指了指一张床的下铺说，"这就是霍强睡觉的地方。"

显然，床上都已经整理过了，看不出什么有价值的东西。我回头问了问："他还留下什么东西没有？"

"都被学校收起来了，这里什么都没留下。"

这房间里的感觉让人窒息，不知道是不是死人留下来的气味，我匆匆回到了楼道里，趴在栏杆上深吸了一口气，回头看着韩小枫说："昨天半夜，你们是一起回学校的吗？"

"是的，我们一起回到了学校，就立刻回各自的寝室了，没有发生过其他事情。"

奇怪，现在韩小枫又显得如此冷静，不像那天她给我打电话时的惊慌失措。而春雨依旧靠在韩小枫的肩头哭泣着。

"你们知道——"我开始大声地问他们，"你们知道霍强为什么死，是不是？"

他们三个人都微微一颤，彼此间面面相觑，没有一个人回答我的问题。

我轻叹了一口气，点了点头说："你们确实知道。"

但他们依然不回答，楼道里死一般沉寂，灯光照射在他们的脸上，宛如涂上了一层白色颜料。

"那你们能否告诉我，你们在荒村发生了什么事？"

又是长久的沉默。

终于，春雨抬起头来，这个生得小巧玲珑的女生低声道："不，我们什么都没有看到……什么都没有看到……"

我摇了摇头，又对韩小枫说："韩小枫，你不是在电话里说你看到了吗，看到了什么？"

"不，那是一个噩梦，只是噩梦而已。"

"可霍强就是死在噩梦里。"

韩小枫的嘴唇颤抖着，喃喃地却说不出话来。忽然，苏天平烦躁不安地叫了起来："够了，求求你不要再过问了，我们会管好自己的。"

"那，为什么要隐瞒？是因为恐惧吗？"

苏天平把脸别到了一边。他们三个人都不再说话了。

我又叹了一口气，看来今晚不会再有什么收获了。我把语气放缓说："如果你们需要我的帮助，随时都可以打电话找我。"说完，我悄然离开了这栋寝室楼，在黑夜的校园里穿行了好一会儿才走了出去。

等我回到家里的时候，已经将近子夜了。我疲倦地倒在床上，忽然猛地吸了吸鼻子，似乎又闻到了那间男生寝室里的气味。

噩梦的气味？

也许是冥冥之中的安排，注定我要卷入这件事中。因为一切都源自于我写的小说《荒村》，如果没有这篇小说吸引了他们，那霍强还会死吗？是的，事到如今我已经骑虎难下了。

　　忽然，手机铃声又响了起来。我立刻接听了手机，电话里传来一个颤抖的女声："喂……我是……韩小枫……"

　　是她？我立刻让自己镇静下来，用平和的语气问道："韩小枫，有什么事吗？"

　　"非常抱歉，刚才我们都没有说实话，我不敢当着大家的面说出来——我们确实在荒村发生了一些事情。"

　　听得出她的声音还是很紧张，而刚才她又不敢说出口，就只能偷偷地给我打电话了。

　　"我早就料到了，到底发生了什么事？"

　　"说来话长，电话里说不清楚。明天早上你到学校来找我好吗？"然后，她把她寝室的位置告诉了我，明早九点钟，她会在女生寝室楼下等我。今天实在太晚了，我没有继续问下去，草草结束了通话。

　　我深吸了一口气，终于可以知道他们在荒村的情况了。可苏天平和春雨为什么要隐瞒呢？也许，还会有更多意想不到的事情吧。

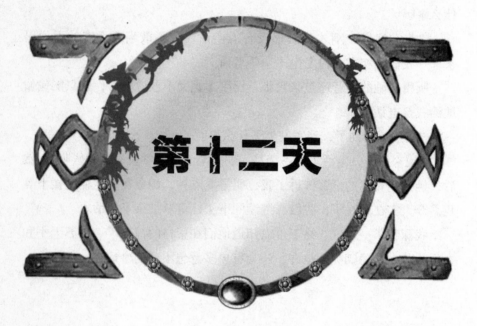

第十二天

次日一早，我准时出门了。

还是坐着出租车抵达韩小枫的学校，我小心翼翼地混进校园，来到了她所在的女生寝室楼下。正好是九点钟，阳光照射在我的额头上。女生楼下的尴尬，令我悄悄地退到了树阴底下。我看见一个个女生从楼里出来，她们的表情都很反常，彼此交头接耳窃窃私语。当她们经过我身边的时候，有的人不经意盯了我一眼，让我颇有些不好意思。

我等了十几分钟，还不见韩小枫出来，便给她打了个手机，可她那头响了半天都没人接听。我越来越疑惑，不禁大着胆子走到楼门口，小心地向里张望。

突然，一只手搭在我后背上，我立刻就跳了起来。可万万没有想到的是，那个拍我后背的人，竟然是我的表兄叶萧警官。

我张大着嘴巴问："怎么是你？"

"这也是我想问你的问题。"叶萧又用充满怀疑的目光看着我，指了指里面的楼道说，"我们上去说话吧。"

叶萧和我走上女生宿舍的楼梯，不断有女生迎面跑下来，全都是惊慌失措的样子。我们来到二楼的走道里，看见其中一间寝室门口，站着几个老师模样的人，正紧张地说着话。

心跳又莫名其妙地加快了，双腿不由自主地跟着叶萧走到门口。叶萧向他们亮出了警官证，我也跟在后面走了进去。

又是那股奇怪的气味，就和昨天晚上霍强寝室里的一样。叶萧冷峻地扫视了一圈，目光落在了靠窗的一张床上——原来下铺躺着一个女生，弓着身子蜷缩着，脸朝着墙壁。

叶萧立刻戴上了一副白手套，小心翼翼地伸向那躺着的女生，将她的脸缓缓转了过来。

我看到了那张脸。

天哪，我差点叫了起来，我从没见过一个人能有那么恐惧的表情，那张嘴张得如此大，几乎要把自己的眼球生吞了下去。这是怎样的一种恐惧呢？对不起，我真的无法用语言来形容她那张脸，我只能说如果你看了一眼，便会永远地刻骨铭心，成为噩梦里最恐怖的一幕。

呆呆地看了十几秒后，我才突然意识到——我认识这个女生，甚至还知道她的名字——韩小枫。

韩小枫死了。

我不敢相信自己的眼睛，下意识地退到了门口。我又猛地吸了吸鼻子，没错，就是这个味道，霍强寝室里的死亡气味。

叶萧又仔细地检查了一下韩小枫，然后离开了这具尚未僵硬的尸体，回头向一个老师问道："她就是韩小枫？"

老师也不敢靠近，一个劲儿地抹着额头的汗回答："是的。今天早上，同寝室的同学们起床，发觉韩小枫还依然睡着，她们以为她在睡懒觉，就没有理会她。大约八点钟的时候，才发现她已经死了。"

"昨天晚上有没有什么异常？"

"没有，同学们说她在子夜十二点半睡下的，晚上非常安静，寝室里共有五个同学，没有人发现什么异常情况。"

叶萧冷冷地说："就和昨天的霍强一模一样。"

她也是被噩梦吓死的吗？

这时，另几个警察走了进来，他们开始勘察现场。叶萧把我和老师都推出了寝室，说："在勘察结束之前，任何人不得进入这个房间。"

然后，叶萧自己走了出来，找了个没人的地方对我说："现在可以告诉我了吧，为什么你会出现在这里？"

我已不能向他隐瞒，只好把昨天晚上我找到霍强的寝室，然后韩小枫又打电话给我的事都告诉了叶萧。叶萧严肃地说："为什么不听我的劝告？"

"不，这是我的责任，一切都因我的小说而起。"

"这算什么？内疚，还是自责？记着，这不关你的事！"

但我摇了摇头，怔怔地说："我一定要查出荒村的秘密。"

话音未落，我就飞快地跑出了女生寝室楼。我要找到剩下的那两个人——苏天平和春雨。然而，当我几番打听终于找到他们的寝室时，却发现他们俩都已经失踪了。他们的同学从今天早上起，就没再看到过他们的影子。

或许他们已经听说了韩小枫的死讯？可现在到哪里去找他们俩呢？我搔着头想了半天，也想不出个办法来，只得悻悻地回家去了。

回到家还是坐立不安，整整一天都在胡思乱想中度过，根本就没有心思写新的小说了。我躺在沙发上闭着眼睛，回想着第一次见到韩小枫时的情景。那是这个故事的第一天，也是在这个房间里，她显得活力十足无所畏惧，和那个叫春雨的女生形成了鲜明对照。但后来她从荒村打来的那个电话，却又是那样恐惧和失常，我能百分之百肯定，她一定见到了什么东西，但出于某种原因，又不能或不敢说出来。

究竟是什么力量使霍强和韩小枫死于非命呢？噩梦真的会杀人吗？

突然，我的脑子里闪过了四个字：荒村噩梦。

我的后背都凉了，或许，谁都无法逃脱这个梦。

可世界上真的有噩梦杀人事件吗？如果有的话，一定会有相关资料的。对，查找资料一向是我的强项，我立刻打开了电脑，在 Google 上狂搜了起来。

然而，在网上搜索了几十分钟，全都是一些无聊的网页，在忍无可忍中我下线了。也许在书店里可以找到？我立刻跑出了家里，在夜色中走进了附近的地铁车站，那里有家我常去的书店，也是我在小说中写到签名售书、进而认识"小枝"的地方。

现在是晚上八点，书店里的人不多，我独自站在心理学与犯罪学的书架前，翻着一本本描述犯罪与死亡的书。但我还是没有找到需要的内容。也许，古今中外还从没有过这样离奇的案例吧？

忽然，一阵细若游丝的脚步声从我身前的书架后传来。

不知为什么，心底轻轻地一荡。于是，我把眼前的一本书拿了下来，书架上便空出了一块缝隙，让我见到了书架后面的那双眼睛。

这是一双年轻女子的眼睛，正低垂着的眼帘，翻看着一本什么书。

忽然，她意识到了有人看着她，于是缓缓抬起头来，那线柔和的目光撞到了我的眼睛里。瞬间，我和她都愣住了。

——聂小倩。

隔着书架的缝隙，我看着她那双狐女般的眼睛，好像在看一幅突如其来的连环画。她忽然对我微微笑了一下，然后一闪就不见了。

像烟雾一样消失？

我紧张地贴在书架上，透过缝隙继续向前张望，直到有一只手在我的后背拍了一下，战战兢兢地回过头来，才发现她已经转到了我的身后。"小倩？你怎么会在这里？"

她淡淡地回答："你可以来这里看书，我就不可以吗？"

"你是刚下班过来的吧，来看什么书？"

她举起了手里的一本书，原来是聚斯金德的长篇小说《香水》，叙述一个嗜香如命的谋杀犯的故事。

我点了点头："我也很喜欢这本书，一部非常棒的小说。"

她似乎有些矜持，轻声说："我该走了。"随后，我跟着她走到收银台，她买下了这本书。正要离开的时候，我叫住了她："对不起，还能和你谈谈吧？"

她犹豫了一阵子说："好吧，给你十分钟。在哪里？"

我向四周张望了一下说："就这里吧。"

这个书店的一角有个书吧，摆着几张桌椅，平时看书之余可以喝茶聊天。我们坐到一个不起眼的角落里，桌子上点着一支白蜡烛，在摇曳的烛光下，我犹豫了半天却说不出话来。

她瞄了瞄我说："给你的时间有限，有什么事就快说吧。"

关于荒村的事情，实在是千头万绪，我真不知该从何说起，索性脱口而出："已经死了两个人了。"

"你说什么？谁死了？"她显然也被吓了一跳。

"去过荒村的人，是两个大学生。前天晚上他们刚刚回到上海，就分别在昨天和今天凌晨死了。"

瞬间，她的脸色也变得惨白，用手捂着嘴说："你说，有人从荒村回来不久就死了？"

我哆嗦着点了点头："是的。"

"到底发生了什么事？能不能说得更详细些？"

在白色的烛光中，我又仔细地回想了一下，从这个故事的第一天：

那四个大学生突然造访，一直到今天上午发现韩小枫的死。然后，我抿了一口茶，把所有这一切都向她娓娓道来。我的叙述远远超过了十分钟，但她早已经忘记了给我的时限，直到我全部讲完以后，她才长长地呼出了一口气。我发现烛光下她的脸更像是"聂小倩"了。

她幽幽地说："谢谢你。"

我有些摸不着头脑了："谢我什么？"

"谢谢你告诉了我这些事。我想，我们可以从那几个大学生身上，发现荒村的秘密。"

"你也在寻找这个秘密吗？"

她的神色有些怪异："对不起，我也没有办法解释清楚。"

"不过，我还有一件事要问你——前天晚上，你在临别时告诫我千万不要接电话。而那晚电话确实来了，正是刚刚从荒村回来的霍强打给我的。真奇怪，你是怎么知道他会打电话给我的？"

她盯着我的眼睛，沉默了片刻后突然说："感觉，你相信感觉吗？前天晚上在马路边的那个瞬间，当我看着你的眼睛时，我听到了……"

"你听到了什么？"

她的目光转向白色的蜡烛怔怔地说："电话铃声。"

"不，这不可能！我不相信这种事情的。"

"因为你在小说里写了太多的此类事情，所以你认为这一切都是人为制造的，是吗？"

"你以为你是谁？兰若寺里的聂小倩？通灵人？还是萨满女巫？"说完，我才意识到自己有些失态，"对不起，小倩……"

她淡淡地哼了一声："算了吧，我知道你现在心里在想什么。你以为我只是个胡搅蛮缠的疯女孩，你以为我说的一切都只是臆想。"

"但你没有办法证明自己的话是真的，比如，你究竟是怎么知道荒村的？"

"一定要回答吗？"

我斩钉截铁地回答："是的，一定要回答，就是现在——Now！如果你不回答，我将认定你是个骗子，再也不会理睬你的骚扰。"

"可是……"她深深吸了一口气,"我不能说。"

"既然如此,那你就没有办法让别人相信你。"

我腾的一下站了起来,当时的样子一定有些可怕。她冷冷地看着我,那双《聊斋》故事里才有的眼睛,在烛光下显得可怕起来。我站着,她坐着,双方的目光互不相让,就这么对峙了十几秒钟。

终于,她的眼神柔和下来,低垂下眼帘说:"好吧,我告诉你。"

我点了点头,轻轻地坐回到了椅子上。隔着摇曳暧昧的烛光,她幽幽地说:"是我的外婆——关于荒村的一切,都是我外婆告诉我的。"

"你外婆是荒村人?"

"我不知道。"她局促不安起来,低着头说,"我只模糊记得小时候,外婆把我搂在怀中,轻声地讲述荒村的故事。"

"原来如此,你外婆现在在哪里?"我立刻着急地问了出来,如果她外婆还健在的话,我一定会登门拜访的。

"我外婆早就死了,都已经十多年了。"

哎,刚刚冒出的希望又被浇灭了。我傻傻地说了声"对不起",但接着又追问道:"小时候听的故事,为什么现在还记得如此清晰?"

"我也不知道为什么。"她仰起了头,轻叹了一口气说,"你也许不相信,我连外婆长什么样都记不清了,只有那些故事还记得清清楚楚,好像荒村的故事已经替代了外婆,一直顽固地生长在我脑子里。"

"嗯,如果那些故事都是真的,你外婆与荒村一定有很深的渊源。"

她不置可否地叹了一声:"谁知道呢?"

"我会知道的。"我冷冷地看着她的眼睛,像要把里面的秘密全挖出来似的。终于,她看了看表说:"我该走了,早就超过给你的时间了。"

"不好意思,我……"

"再见。"她打断了我的话,匆匆走出了书店。

我紧紧地跟在后面,大声地喊道:"等一等。"

但她就像没听到似的,风一样跑进了地铁检票口,一眨眼就消失得无影无踪了,只留下我独自站在空旷的大厅中。

今天是这个故事的第十三日。

在西方人看来，这是一个非常不吉利的日子。更巧合的是，今天又是星期五。

到这一天，事情的发展似乎已经失控了，完全超出了我的想象范围。也许，不但荒村昨天的秘密让人恐惧，就连"明天会发生什么"也成为了恐惧的一部分。

下午一点，手机响了起来。我立刻就听出了对方的声音，是去过荒村的四个大学生中的另一个男生——苏天平。"苏天平，是你吗？他们说你不见了。"

"这你不要管，我现在能和你谈谈吗？"

他的声音明显在颤抖着，但我尽量用平和的语气来回答："好的，在什么地方？"

"在我们学校大门对面的咖啡馆。"

"好，我现在就来。"

挂了电话，我立刻出门叫上一辆出租车，向那所大学疾驰而去。坐在车里的我忐忑不安起来，会不会又同昨天早上一样呢？韩小枫约我出来谈话，要把荒村的事情告诉我，但我赶到时她已经死了，那么这一次的苏天平呢？难道那个可怕的噩梦，总是比我抢先一步？

终于抵达那所大学门口，对面果然有一个小咖啡馆。我悄然走了进去，里面是半地下室的，格调昏暗而阴郁。

咖啡馆里几乎没什么人，放着低沉而哀怨的音乐，一刹那我还以为被欺骗了呢，但随即一个声音从我身后响起："你终于来了。"

我立刻回过头来，发现苏天平在一个阴暗的角落里，不注意的话几乎看不到他。他看起来忧心忡忡的样子，声音轻得几乎听不见："我已经等你好一会儿了，请喝一杯咖啡吧。"

"你怎么了？为什么不待在学校里？"我象征性地抿了一小口咖啡。

"霍强死了，韩小枫也死了，我们都去过荒村，下一个又会是谁……不，我怎么敢再回学校呢？"

他看起来有些激动，但又蜷缩在角落里，就像卡夫卡笔下地洞里的

76

生物，成天担心有人要夺取它的性命。

"所以，你想得到我的帮助？"

苏天平哆哆嗦嗦地点点头："是的。"

"那你必须把所有实情告诉我——你们在荒村发生了什么？"

他双眼直勾勾地看着我，缓缓地吐出了两个字："噩梦……"

"噩梦？"又是这个可怕的词，让我心里忽地一荡，"能不能说得清楚点，你们是在荒村做了噩梦，还是经历了噩梦般恐惧的事？"

"也许，两者兼而有之吧。"他喝了一大口咖啡，总算让情绪平稳了下来，"我从小喜欢历史和科幻，就和霍强喜欢旅行和冒险一样，我们因为不同的性格和原因，加入了大学生探险俱乐部。我看过你写的所有的书，非常喜欢你的小说，也许是因为你的小说，给我们的生活添加了许多未知和神秘，尤其是你的中篇小说《荒村》。"

"你认为那是真的吗？"

"这我不知道，但我认为荒村一定存在，而且还有许多特别的故事，否则是绝不会被写得如此栩栩如生的。正因为如此，我和霍强，还有韩小枫、春雨，都对荒村起了浓厚的兴趣，我们才决定去荒村进行一次探险旅行。"

"你们还费尽心机地找到了我，却没有想到我拒绝了你们的请求。"

苏天平摇了摇头说："但这并不重要，我知道如何找到荒村。我去了地图出版社，把浙江省出版的各种地图都看了一遍，虽然在全省地图上找不到西冷镇，但在县市地图上一定会找到的。果然，我找到了你小说里所谓的'K市'，在K市的全市地图上，赫然标着西冷镇的地名，地图显示那里确实离海岸线很近。"

"我明白了。"我叹息了一声，其实我早就应该想到了。

"知道荒村在哪里后，我们立刻收拾行装，坐上长途大巴前往K市。当天下午，我们抵达了浙江省K市，又立刻转乘中巴前往西冷镇。到西冷镇时已经是黄昏时分了，我们在镇上匆匆地吃了一顿晚饭，就四处打听荒村怎么走。但让我们意想不到的是，在西冷镇那样富裕的地方，荒村居然连汽车都没有通，要去那里必须走上十几里山路。也许是过于兴奋和冲动了，大家都想快点看到荒村，霍强坚持要连夜赶路，因为他有野营的经验，我们都只能跟着他一起走。"

"你们胆子可真大啊。"不过，当初我去荒村的时候，也和他们一样冲动。

"我还清楚地记得那晚。一路上崎岖不平，四周呼啸着风声，放眼望去都是荒山秃岭，好像进入了另一个世界。两个女生春雨和韩小枫都非常害怕，霍强打着手电筒走在最前面。我们足足走了几个小时，抵达荒村的时候，已经是半夜十一点钟了。"

"然后，你们就给我打了电话？"

苏天平喘了一口气说："对不起，那晚打扰了你，但当时我们太激动了，一定要和你一同分享我们的欢乐。说实话，当我仰望着黑暗中的牌坊，突然有种奇怪的压抑感，似乎那石头牌坊随时会倒下来，将我们压得粉碎。"

"然后，你们不听我的劝阻，立刻就进村了？"

"我们连夜闯进了荒村，感觉就像勇闯鬼门关，每个人都心惊胆战却又兴奋异常。我们首先要找的，当然是小说里写到的古宅进士第。我们在迷宫般的村子里转了半天，没见到一个人影，家家户户都门窗紧闭。终于，霍强的手电筒照到了进士第的大门。我们小心翼翼地敲了敲门，但很久都没人开门，这时才发现大门根本就没锁，而是虚掩着的。于是我们推开大门，悄悄地走进了古宅。自然，感觉就和你小说里写的一模一样，进士第里阴森恐怖，弥漫着一股陈年腐烂的味道。"

"你们没有在进士第里发现人吗？"

"没有。我们仔细地转了一圈，从古宅的前厅直到后面的小院子，差不多每个房间都看过了，没有任何有人居住的迹象。这也让我们非常意外，难道真如你小说里写的那样，小枝全家都死光了吗？"

我不知该说什么才好，只能一个劲儿地摇头。

苏天平舔了舔嘴唇说："当晚，我们就睡在了进士第里。幸好早就准备好了野外旅行，比如毛毯和帐篷等等必备的用具都有。我们挑了二进院子底楼的一个房间，每人睡一个帐篷，彼此之间距离很近，大家都可以照应到。我们在荒村的第一夜，就这样过去了，也许是太疲劳的缘故吧，这晚大家都睡得很好，并没有任何异常的情况发生。"

"第二天，你们就去问了荒村的村民？"

"是的，因为我们也搞不清楚，小说里的欧阳先生究竟是死人还是活人。白天，我们总算看到了一些村民，他们见到我们以后也非常惊讶，就像是见到了鬼似的。好不容易，才有几个懂普通话的村民说欧阳先生在八个月前就死了。后来，我们又问了其他几个人，都得到了相同的答案。还有人告诉我们，欧阳先生的坟墓就在附近山上。我们又立刻到荒村后面的山上去寻找，果然发现了一个很新的水泥墓碑，上面镌刻着欧阳先生的名字。"

虽然，他的描述是如此详细，但我还是摇了摇头："不，我在四个月前确实见到了他，活生生的欧阳先生。我在小说里写他已经死了，完全是出于虚构，我还担心他万一看到了这篇小说，会不高兴呢。难道我见到的欧阳先生是……"

我突然中止了自己的话，没有把那个可怕的字说出口。

苏天平不停地深呼吸着："我不管你见到的是什么，总之欧阳先生已经死了。那天，在发现欧阳先生的坟墓后，我们的好奇心和探险欲更强了，便在荒村附近走了走。你说的没错，荒村坐落在大海与墓地之间，一边是漫山遍野的坟墓，另一边则是布满礁石和悬崖的海岸，就连大海的颜色都是黑的，汹涌的海浪拍打着岩石，那声音让人不寒而栗。总之，我们看到的就和电影《牙买加客栈》一样，实在是太荒凉了，真不敢相信这是在中国东南沿海。那天下午，我们都回到了进士第里，心想那么大的宅子空关着，一定还有许多东西等待我们去发现。果然，我发现了一件你小说中没有写到的东西——井。"

听到这个"井"字，我立刻就想到了小倩，还有那个可怕的故事。"你到后院了？"

"没错，我发现了那个后院，院子中间有一口看起来很古老的井，在井台旁边还有一棵不高的树。"苏天平一边说一边回忆，两只眼睛忽然变得很黑，就像是两口深深的古井似的，"当我看到这口井的时候，忽然产生了很奇怪的感觉，就好像……好像听到了某种声音。我扒着井台向下看了看，里面黑黝黝的像一只眼睛，有一股地底的凉气突然涌了上来，我当时就打了个冷战。我觉得这口井不吉利，便远远地躲开了。"

我盯着苏天平那深井似的眼睛问道："你害怕了？"

"嗯，确实有点害怕。不过，这也使我更加好奇——我确信这古宅里一定有着什么秘密。那天的晚餐，我们是用自己带来的食物解决的。接下来，我提议大家都体验一下小说中的生活，也就是你在小说里住的那个房间。"

"就是二进院子里楼上那间房？"

我确实就住在那个房间里。

"没错，我们兴冲冲地赶了上去。那房间果然如你小说里描述的那样，在中间有一张屏风，后面还有一张木榻。对，那张屏风上的四幅画，你在小说里写的也没错，确实太让人惊叹了，我完全被震慑住了，到现在也无法用语言来形容它。"

"那晚你们就住在那间屋子里？"

"是的，但没人敢睡那张木榻，我们四个人各自在房间里挑一块地方，搭起自己的小帐篷睡在里面。当然，大家都太兴奋了，前半夜没人睡得着，只能由我来给他们讲故事。我精读过《聊斋志异》和《阅微草堂笔记》，他们也很喜欢听这些故事——现在想想也有些后怕，在荒村这么可怕的地方，又是在这么一间阴森恐怖的古宅里，几个人聚在手电筒下讲着《聊斋》故事，说不定那些故事里的人物真会跑出来。"

听到这里，我暗暗自讽——《聊斋》里的聂小倩，不是已经闯进我的生活了吗？

苏天平可没空和我开玩笑，他一脸紧张地说："那晚，我们一直说到了凌晨两点，大家实在支持不住，便纷纷钻进帐篷睡下了。我很快就睡着了，但不知过了多久，又在黑夜中醒过来，因为我听到了一阵奇怪的声音……"

"什么声音？"

"好像是……脚步声，不知道是从古宅的哪个房间里传出来的，笃……笃……笃，就像是木头底的拖鞋走在楼板上的那种声音，忽忽悠悠地飘了过来。一刹那间，我的心都提了起来，躲在帐篷里不敢动弹。随后，奇怪的脚步声又消失了，停顿了大概几秒钟，我又听到了一阵极其轻微的声音，好像是……好像是女人的哭泣声，那声音断断续续，时隐时现……"苏天平嘴唇颤抖着，自己也倒吸了一口冷气，"不过，也有点像婴儿的哭声。总之，那晚的声音实在太恐怖了，我后半夜几乎没睡着，就这么提心吊胆地过去了。"

"你们在荒村的第二天就这么过去了？"

"是的，我早上起来以后，问其他人听到怪声没有，但他们都说自己睡沉了，没听到什么声音。我也感到奇怪，难道自己耳朵太灵敏了，还是因为太疲劳而产生了幻听？或者，干脆就是做了一场噩梦？"

说到"噩梦"这个词，他怔怔地忽然停住了。我冷冷地说："你害怕噩梦吗？说下去。"

他呆呆地沉默了半晌，才又说话了："我们在荒村的第三天，大家都断定进士第里一定藏着什么东西。于是，我们在这所古宅内开始了搜索，打开了前前后后每一个房间的门，有的房间大概空关了几十年，全是厚厚的灰尘和蜘蛛网，一股股霉味熏得我们直流眼泪。但楼上有一个房间与众不同，看起来像是女孩子住的，里面甚至还有电脑和电视机，房间装饰得也很干净，就和城市里的差不多吧。"

"那是已经死去的小枝的闺房。"说这句话时，心里忽然有些酸涩，我终于按捺不住了，"够了，私自打开别人的房间——你们没有意识到吗？这种行为是违法的！"

"当时已顾不上了，我说过，我们都被好奇心冲昏了头脑，反正都已经到荒村了，不发现一些重要的东西，实在对不起自己的千辛万苦。而且，这栋古宅是空关着的，主人也全都死光了，没人会来管我们的。但更重要的是——"苏天平深井般的眼睛里，忽然放射出了一道异样的目光，"我们确实发现了一些秘密。"

话音刚落，我感到背后一阵凉风吹过："你们发现了什么？"

"那是在古宅的第二进院子里，侧面有一栋小木楼，木楼底下有一个房间，里面的摆设看起来比较新，有一些最近几年才有的家具。靠墙一侧还有张大床，用的木料非常好，四周还有完整的架子，看起来应该是件明清的古董家具。"

"你说的是欧阳先生的房间吧？"

"也许是吧。但那个房间有些奇怪，与隔壁几间屋子相比，它的宽度和其他屋子一样，但长度也就是进深却小了很多，平常人一眼就能看出来。霍强走到房间的底部，敲了敲最里面那堵墙，感觉里面像是空的。我们都兴奋了起来，也许墙里面还藏有一个暗室？于是，我们四个人一起用力，把那张古董大床移开了，才发现大床的蚊帐后面，还藏着一扇暗门。"

"墙上的暗门？听起来像是古代的陵墓。"

苏天平立刻点了点头："对，当时我确实有这种感觉，就好像盗墓者发现了墓道入口一样。不过，那扇暗门用砖块封住了。霍强仔细地摸了摸那些砖块，发现砖块并没有粘合起来，而是一块块摆放在门上的。看来这门是可以进出的，用砖块封门只是掩人耳目。我们立刻七手八脚地把砖移开，那扇暗门终于打开了。我们兴奋地钻进暗门，里面果然是个暗室，大约有十几平方米。春雨在昏暗中走了几步，忽然一脚踩空尖叫了起来，如果不是霍强及时拉住她，差点就要摔了下去，她吓得连魂都要飞掉了。这时我们才发现，暗室的地面上有一个开口，用手电筒往地下照了照，地下似乎是一级级的台阶。"

"你们发现了地道？"

"听起来是不是像盗墓？没错，我们在这间暗室里发现了地道，大家既兴奋又害怕，犹豫再三还是决定走下去。霍强在最前面，手里打着大号手电筒，包里背着各种野外生存用具，其他人则紧跟在后面。台阶似乎是石头的，我们一步步往下走，四周伸手不见五指，远处的地道里似乎传来回音，感觉和盗墓没什么区别。大约走了十来米，来到一条平稳的甬道里。霍强的手电筒向前照了照，出现了一扇石头大门，大门由两块青石板组成，石门上还雕着一些奇特的花纹。但在石门中间接缝处，有一把铁制的大锁，将大门牢牢锁住了。"

我忽然想到了清东陵的地宫，古人一般是不会在墓道大门上用锁的，通常是采用"自来石"关门之类的古老技巧："是什么锁？有没有生锈？"

　　"大铁锁质量很好，基本没有生锈，看起来不像是古物，应该是八十年代那种很常见的锁。我们一下子傻了，使劲推了推石门却纹丝不动。但绝不能因为这把铁将军，就使我们功亏一篑。霍强从包里拿出一把钢钳，这是野外生存时偶尔会用到的工具。他把钢钳夹住大锁，我帮他抓住另一只钳把，我们两个男生用上了吃奶的劲，终于钳断了那把大铁锁。"

　　"这种行为与强盗有什么区别？"

　　苏天平自顾自地接着说了下去："打开那扇地下石门后，一股奇怪的烟雾立刻从门里扑面而来，当时我第一感觉是尸体的味道，但随后又感觉不太像。等烟雾散尽后，我们小心翼翼地走了进去。里面的甬道幽暗狭长，有明显向下倾斜的坡度，也就是说我们在向地下深处走去。一路上拐了两个弯，四周全是黑暗的地道，每个人都提心吊胆，就连胆子最大的霍强也有些发抖。终于，手电筒的光线照到了一大块空地，看起来就像是山洞里的大厅似的。"

　　"你们抵达地宫了？"

　　"不知道，但当时的感觉很奇怪，手电筒扫射范围有限，无法看到深处黑暗的地方，只能大约地估计一下'大厅'面积，可能有好几百平方米吧。这时，韩小枫突然叫了一声，原来在手电的光束里，有个白色的东西一闪而过。我们立刻紧张地对准那边，只见靠墙处躺着一些奇怪的物体。我们战战兢兢地走上去一看，才发现地上堆着几十件玉器。"

　　"玉器？什么样子的玉器？"

　　"一开始我还没觉出来，但春雨一眼就看出来了，因为她很喜欢玉手镯之类的首饰。当时我们粗略数了数，总共有二十件左右玉器，大的直径有几十厘米，小的只有手指大小。这些玉器的形状、颜色各异，有大饼似的圆形玉器，也有木桩似的圆柱体，还有的看起来像把斧头，剩下的就是些小物件。春雨说这些玉器的样式太奇怪了，和市面上所见的完全不同。"

"听起来像是古代墓葬里的陪葬品?"

"嗯,确实如此。当时我正准备寻找有没有棺材之类的东西呢,却发现玉器后面的墙上还有扇小门,大约只有一米五高,但门的材料很特别。我们大胆地用手摸了摸,发现这扇小门居然是用整块玉石雕成的。看着这块玉质大门,我们仿佛面对着另一个世界,所有人都呆住了。"

"生死之门?"我也禁不住自言自语了起来,我能想像出他们在黑暗的地宫中,面对这样一扇玉门时的心情。

此刻,苏天平的额头上已沁出了许多汗,他颤抖着点了点头说:"这时候,韩小枫忽然害怕起来,她说我们大家都回去吧。但霍强粗暴地打断了她的话,他说就算门里是幽灵世界,我们也要闯进去看一看。霍强的意见获得了我和春雨的同意,韩小枫也不敢自己离开。我们试着推了玉门一把,没想到这扇门居然被我们推开了,原来门上并没有锁,里面也没有门闩之类的东西。然后,我们每个人都深呼吸了一下,便低着头钻进了这扇小门。"

"里面是不是墓室?"

"不,玉门里是大约十平方米大小的密室,高度不超过一米七,平常人站在里面只能低着头。我们用手电筒仔细地照射了一圈,没有发现任何棺椁的痕迹,只在密室的内侧角落里,藏着一个盒子似的东西。这小盒子也是用玉石雕成的,长、宽、高都只有十几厘米左右。"

我仔细地想了想说:"那应该叫玉函。"

"这盒子并没有锁,但在盒子开口处有一块封泥,上面似乎还写着一些文字,但那些字实在太小,当时我们无心细看,霍强便强行打碎了那块封泥。"

"什么?你们居然打碎了封泥?"我实在有些气愤了。所谓"封泥",是中国古代封缄简牍并加盖印章的泥块,起到文件加密的作用。封泥在春秋时代就已使用,秦汉魏晋时非常流行,保存到今天的封泥都是珍贵的文物,封泥上的文字往往对研究有很大帮助。我摇着头说:"即便是在古代,打破封泥的行为也是很大的罪行,就和窃取国家机密的性质一样严重，古时许多人因此而掉了脑袋。"

"对不起，当时我也想阻止霍强，但已经来不及了，其实他对历史一窍不通。"苏天平面色变得苍白起来，他咽了一口唾沫说，"随后，霍强就打开了那只小盒子……"

"玉函里有什么？"我的心都要被他提起来了，生怕他会说出什么可怕的字眼来。苏天平伸手抹了抹额头的汗珠，缓缓地回答道：

"玉指环。"

我先是愣了一下，然后又重复了一遍："玉指环？"

"是的，那只小盒子里没有别的东西了，只有这么一件玉器。形状有点像戒指，但比一般的戒指更粗。这枚玉指环的颜色很特别，整体是半透明的青绿色，在手电筒的照射下发出暗暗的反光。但在玉指环的一侧，却有一种奇怪的腥红色，看起来像是某种污迹，春雨说她从没见过这种颜色的玉器。"

"玉函内的玉指环？不知道有没有特殊的含义……"

"但接下来，意想不到的事情发生了。也许是霍强过于激动了吧，他的手电筒一不小心掉到了地上，只听到清脆的一响，密室便陷入一团漆黑之中。突然陷于黑暗的几个人都很恐慌，韩小枫更是当即就尖叫了起来，我们乱作了一团。而这密室又非常狭窄低矮，我有几次都撞到了头顶。霍强蹲在地上摸了半天，总算是捡起了手电筒，但怎么都开不亮了，显然是被摔坏了。虽然他包里还有备用的手电筒，但黑暗中他怎么都找不到了。韩小枫似乎已恐惧到了极点，她摸着黑跑出了密室，我们也纷纷跟在她后面跑出来。"

说到这里，苏天平突然停住了，眼神变得很奇怪。

"怎么了？还发生了什么？"我感觉他有些话似乎不方便说出口。

苏天平的眼珠转了几下，避开我的目光回答："没，没什么……我继续说下去吧。当时，我们都跑到了地下的大厅里，但黑灯瞎火谁都看不见，我们只能大声叫着彼此的名字，以免有人走失或迷路。我们像瞎子一样向前摸索着，霍强忽然说他摸到了出口，我们立刻循着声音摸到了他，在他的带领下我们果然回到了地道。大家匆匆地向前跑去，脚下的坡度明显向上。终于，我们摸到了那两块大石门，跑出石门便是高高的台阶了。"

"真像印第安·琼斯系列的惊险电影啊。"

"不，我觉得更像是恐怖电影。我们手忙脚乱地爬上台阶，总算见到了头顶的一线光亮。历经千辛万苦，终于回到地面。最后，大家都跑到院子里，对着天空大口呼吸，仿佛刚刚窒息了似的。谢天谢地，看来大家都只是吓坏了，并没有人受伤。"

"你们不后怕吗？"

"后怕？当然，事后我们都很害怕，就连霍强也后悔了，说不该如此莽撞地闯入地下。晚上，我们仍然睡在楼上的房间，但没人再敢说故事了，四个人之间的气氛也有些僵，早早地就都睡了。但到了后半夜，又发生了一件怪事。"

他这种一惊一乍的口气，让我的心跳个不停："什么怪事？"

"当我睡到后半夜的时候，突然被一阵尖厉的惨叫声惊醒了。我立刻从帐篷里钻了出来，房间里其他人也都出来了，只有韩小枫不知去向。大家急匆匆地跑出了房间，看见在外面的回廊上，站着一个幽灵似的黑影。我小心翼翼地走过去，发现那个黑影是韩小枫。她惊慌失措地摇着头，昏暗的月光下面色如死人般难看，嘴里不知嘟嘟囔囔着什么。我们七手八脚地把她弄回到房间里，又是灌热水又是掐人中，总算让她回过神来。当时她那样子真像个幽灵，你猜她接下来说了什么？"

"快说吧。"我已经有些不耐烦了。

"韩小枫说她见到了鬼——她说她半夜里听到了一些怪声，然后便悄悄地走出去，发现隔壁房间里露出一线幽光。她小心地靠近窗户，点破了那扇窗户纸，发现房间里点着一支蜡烛，幽暗的烛光照亮了一张梳妆台，有一个穿着白衣服的女人，正好背对着窗户，面对着梳妆台前的镜子。韩小枫吓得说不出话来，她看到那个神秘的女人正在梳着头，半边乌黑的头发垂下来，一把木梳子不停地梳啊梳啊……"

"就和我小说里写的一样？"我终于忍不住叫了出来，不住地摇着头说，"这怎么可能呢？这段情节只是我小说里的虚构而已。"

苏天平点了点头说："没错，韩小枫说她吓得尖叫了起来，后来就有些神志不清了。我们听完她的描述以后，也都被吓坏了，便决定去隔壁看一看。当我们蹑手蹑脚地走进隔壁房间，却发现里面一团漆黑，用手电筒照了一圈，连个鬼影子都没见到，只有一张积满了灰尘的梳妆台，台子上插着半支蜡烛，但看起来很久没用过了。"

"难道是韩小枫的幻觉？"

"谁也说不清楚，也可能是她看了你的小说以后，把小说中的虚幻当成了现实，或者……做了一个噩梦？"

"又是噩梦？"但我立刻摇了摇头。

"第二天，韩小枫越来越恐惧了，她悄悄地给你打了个电话，但马上就被我们发现了。霍强担心她把昨天的事告诉你，便抢过手机和你说话……"

我打断了他的话："行了，这些我都知道，说点别的吧。"

"那天下午，我和韩小枫都躲在房间里不敢出去，而霍强和春雨则到外面走了走，黄昏时分才回来。他们回来后脸色很坏，我问他们发生了什么，但他们却不敢告诉我，一定又是什么恐怖的事情。整整一天我们都心神不宁，前一天在地下所看到的一切，不断浮现在我眼前，似乎随时都会身处黑暗的地下。入夜以后，是我们在荒村的第四晚，大家都早早地睡下了。为了防止韩小枫半夜里再跑出去，霍强还把帐篷支在了房间门口。"

我未卜先知似的问道："这晚又发生了什么？"

苏天平盯着我的眼睛，缓缓地吐出了两个字："噩梦。"

"你说什么？"

"我说的是噩梦——那天晚上，我做了一个噩梦。"苏天平的面色越来越可怕了，深井似的眼睛飘忽不定了起来，"我梦到了一个女人，穿着一身白色长袍的年轻女子，幽暗的火光在她身边摇曳着，她披散着长长的头发，长着一张白皙而美丽的脸庞，但她的眼神是如此奇特，就像是来自另一个遥远国度。她流露着一种特别的目光，说不清是悲伤还是绝望，但她的嘴角的线条又有几分刚强，似乎已经下定了决心做某一件事，整个人显得从容而镇定，那种气质实在太高贵了，甚至可以用圣洁两个字来形容，那绝不是今天的人所能有的……"

"就像莎士比亚笔下的埃及女王克丽奥佩特拉?"

"对，你跟我想到一块儿去了。就像埃及女王克丽奥佩特拉，从容地把手伸到装满毒虫的盒子里那样。我见到她举起一把有着锋利边缘的石刀，然后异常镇定地用石刀割破了自己的脖子——我眼睁睁地看着她雪白的皮肤被割开，咽喉处的切口流出了许多鲜血……"

突然，苏天平的眼睛怔住了，好像眼前又看到了那一幕。我连忙催促了一句："接下去呢?"

"接下去——我的梦就醒了啊。"他猛地摇了摇头，总算是从梦境的回忆中恢复了过来。

我也长长地呼出了一口气："奇怪，我的梦一般醒来就忘记了。可为什么你这个噩梦会记得如此清晰?"

"是啊，可我也说不明白。这个梦我确实记得一清二楚，甚至可以说刻骨铭心，也许我一辈子都不会淡忘。对，我现在可以清晰地回忆起来，梦中那神秘女子的脸庞，还有她那与众不同的眼神，以及所有一切的细节，就好像她曾真的出现在眼前一样。"

说着说着，他竟然伸手向前摸了摸，好像那女子就坐在他面前似的。我急忙拨开了他的手说："你不要吓我好吗?"

苏天平大口喘息着，闭上眼睛说："绝对没有吓你，我真的感觉到了……好了，让我继续说下去。那天早上我醒来后，眼前总是晃动着那个噩梦，于是便把这个梦告诉了霍强。霍强听完后大吃一惊，他告诉我，昨晚他也做了一个相同的梦，也是一个白衣女子用刀割断自己的咽喉，完全一模一样。然后，我们又告诉了韩小枫和春雨，但更没想到的是，她们说昨晚她们也梦到了相同的景象，一下子我们全都吓呆了。"

"你是说——在同一个夜晚，你们四个人做了同一个梦?"

"千真万确!"苏天平一字一顿地又说了一遍，"在抵达荒村的第四个夜晚，我们四个人在楼上那个房间里，梦到了同一个神秘女人。"

"这怎么可能呢?"我又低下头想了想在小说里写过的那些神秘事

件，摇摇头说，"也许，世界上确实有许多事情是不可解释的。"

"当时我们都怕极了，我们不知道梦中那个神秘女子是谁，也不知道她为什么要这么做，更不知道我们为什么会在那间屋子同时梦到她。这绝对是个不祥之兆，这回就连霍强也开始哆嗦了，再想想这些天我们的所作所为，每个人都倒吸了一口冷气。这时我们才开始后悔，后悔当初没有听你的警告，这个地方实在太恐怖了，是任何人都无法承受的。"

"所以，你们决定离开荒村？"

苏天平急忙点点头："对，荒村简直就是达库拉伯爵的城堡，我们一分钟也不敢再待下去了，便立刻收拾了行装，匆匆离开了古宅进士第。走出荒村的时候，村民们都用一种异样的目光看着我们，那种感觉太古怪了，就像是在……送葬……"

"村民看着你们的目光就像是在送葬？"

"反正当时我就是这么感觉的，也许是心理作用吧。我们逃命似的离开了荒村，沿着来时的山路向外走去。我最后望了一眼荒村，村口那块巍峨的石头牌坊、附近的荒山野岭、冷酷的黑色大海，还有连绵不断的古老墓地，我轻轻地念了一声——永别了，荒村。"

这段语言奢侈的叙述，立刻勾起了我的回忆："是啊，当初我也是这么离开的。"

"离开荒村的路上，大家都非常吃力，直到中午才抵达西冷镇。然后，我们又坐中巴赶到 K 市长途汽车站，终于登上了开往上海的长途大巴。路上大家一句话都没说，显然都还没从荒村的恐惧中摆脱出来。当我们回到上海市区时，已经晚上十一点多了。"

"霍强一下车就给我打了电话。"

"当时我也在旁边，其实他也有些犹豫，不知道是否应该告诉你这些事情。没想到，他竟然那么快就死了。"说到这里，苏天平忽然捂住了自己的嘴巴，满脸痛苦的样子。

"可是，那晚我在霍强的寝室，你为什么不肯把实情告诉我？"

"我不敢说，我们四个人在荒村的所作所为，一定触犯了什么禁忌，我怕万一说出来后会惹上更大的麻烦。"

"你们已经惹上更大的麻烦了。"

"是的，当听说韩小枫也死了以后，我立刻吓得魂不附体，生怕下一个受害者就是我……"苏天平又沉默了好一会儿，才低下头说，"所以，当天我就从寝室里跑了出来，搬到学校外面一间出租屋了。霍强和韩小枫都是死在寝室里的，我不能再待在那种地方了。"

听到这里，我算是完全感受到苏天平那种彻骨的恐惧了，仿佛我自己也随着他一同跌入了深渊。不知不觉一个下午已经过去了，就在这间阴暗清冷的小咖啡馆里，苏天平向我讲述了他们在荒村的离奇遭遇，我不知该如何形容他说话时的表情，就像一个即将要淹死的人，抓着水面上最后一根稻草。

苏天平的脸色似乎比刚才好了一些，也许是把心里话倾诉出来的缘故吧，他大口地呼吸着，仿佛刚刚经历了一场剧烈运动。我看着他的样子想了半天，也想不出半句安慰他的话来，这也难怪，在这种情况下，怎能叫人不恐惧不绝望呢？

忽然，苏天平弯下了腰，从台子底下拿出了一个皮箱，放到我面前。他轻声地说："对不起，这些东西放在你那里吧。"

我一下子愣住了，看着箱子说："这里面是什么东西？"

"你拿回去就知道了。"他说话的腔调有些神秘兮兮的。

"为什么一定要交给我？"

"这里面的东西本不属于我，但我又不能把它交给其他人，现在我只能信任你了。"

我摸着箱子的表面，感觉并无什么异样，但心里还是犹豫了好一会儿。但是，我看着他那双恳切的眼睛，终于点了点头。但我没有当着他的面打开箱子，而是把它放到了自己脚边。

苏天平似乎又松了一口气："今天，谢谢你能来。"

"为什么？就为了向我叙述这些事情？"

"我不知道，但我觉得这件事憋在心里很闷，一定要找一个人倾诉出来，而这个人必须是值得信赖的——那就是你。"

我不禁点了点头。而且，这件事也是因我的小说《荒村》而起的，若要追根究底，恐怕我也要算上一份了。"那你接下来打算怎么办？"

"不知道，只希望死亡到此为止。至少我可以告诉你，我没有心脏病，我不会在半夜里自己把自己吓死的。"

"我也希望你能平安无事。不过，我还是劝你回到学校里去，你的老师会给你帮助的。"

"谢谢，我会照顾好自己的。"

我站了起来，几个钟头坐下来，腿都有些麻了，我淡淡地说："天都快黑了，我该走了。有什么问题就给我打电话吧，再见。"

我刚要走出去，苏天平又叫住了我："等一等，给你的箱子。"

"哦，差点忘了。"

我有些不好意思地搔了搔头，其实我是故意遗忘的，但既然他都提醒了，我只好拎起箱子走了出去。离开这个半地下室的小咖啡馆，我总算呼吸到了新鲜空气，浑身上下都像是从水里捞出来似的。

这时天色已经黑了，我看了看手中的箱子，里面究竟是什么东西呢？来不及多想，我叫了一辆出租车，迅速地离开了那里。

第十四天

也许是昨天在小咖啡馆里，听到的荒村故事太过恐怖了，今天我整整一天都心神不宁，耳边似乎总是回荡着苏天平的声音——颤抖如黑洞般，不断吸吮着听者的灵魂。

晚上，叶萧来找我了，他的突然造访让我很意外，而他的脸色似乎也不太好。叶萧一进门并没有说话，他看着我的眼睛停顿许久，才淡淡地说："那个叫春雨的女大学生，今天已经被找到了。"

找到了？不是找到了一具死尸吧？眼前立刻浮现起韩小枫的那张脸，我的心也悬了起来："她在哪儿？还活着吗？"

"放心吧，春雨没死。今天上午，她在学校门口被老师发现，但神志似乎不太正常，学校把她送到医院去检查了。"

"你是说春雨疯了？"

"对，我亲自询问过她，但她浑身发抖，双眼无神，嘴里喃喃自语，处于极度的恐惧中，我看她精神已经崩溃了，不能提供任何线索。"

"那么苏天平呢？有他的消息吗？"

叶萧沉默地摇了摇头："学校已经找了他两天了，到现在都没有他的任何消息，除了……"

他说到一半停了下来，让我心中忐忑不安起来："你说除了什么？"

"除了昨天下午，有人在学校大门对面的咖啡馆里，看见苏天平和一个二十多岁的男子在一起。"

"和谁在一起？"我一下子愣住了，问出了一个极愚蠢的问题。

"目击者是苏天平的同学，当时他一眼就认出了苏天平，但不知道另一个人是谁。"叶萧忽然回过头来，盯着我的眼睛说，"不过，我已经猜到那个人是谁了。"

面对叶萧的眼睛，此刻我已经无法再隐瞒了，只好缴械投降："好吧，我承认，昨天我见到了苏天平。"

"他找你干什么？"

"苏天平全都告诉我了，告诉我他们四个大学生在荒村发生的一切。"我先给自己喝一口水，然后把昨天苏天平对我说过的话，又简要地复述了一遍给叶萧听。

等我把这些话全部说完时，后背已经全是汗水了。叶萧也倒吸了一口凉气，手指关节不停地敲着桌面，冷冷地说："不知道苏天平现在怎么样了。"

"去过荒村的四个大学生，霍强和韩小枫都已经死了，而春雨也已经疯了，那么苏天平呢？他是死还是疯？"

"或者——他已经死了？"

不！我决不敢面对这样的可能性，昨天还和苏天平谈了整整一个下午，现在他可能已变成了一具尸体，我使劲摇了摇头："死于噩梦？"

"死于噩梦只是猜测而已。"叶萧的声音异常冷静，"根据对霍强和韩小枫的尸检，只能说他们的直接死因是急性心肌梗死。"

"这就是所谓的猝死吧？我知道有许多著名的运动员，都是在训练或比赛中突然死亡的。就像二○○三年的联合会杯足球赛上，喀麦隆球员维维安·福猝死在球场上。"

"但这些人都有心脏病史，或者其他类型的先天性疾病。至于霍强和韩小枫，我查过了，他们的身体很健康，更没有心血管方面的疾病。"

"那你说他们为什么会死？难道是幽灵的诅咒吗？"说完这句话，我忽然感到自己失言了，连忙止住了话头。

"就像你的小说《诅咒》？还是古埃及法老的诅咒？"

"不，我不知道，你不要再问了。"

但叶萧拍了拍我的肩膀说："不过，你还漏了一点。"

"什么？"我不记得自己遗漏了什么。

"苏天平给你的那个箱子，里面装着什么东西？"

"噢，原来是他的箱子。"我这才松了一口气，擦了擦汗说，"我还没来得及打开来看呢。"

叶萧冷冷地说："那好，现在就把它打开来看吧。"

"现在？"我竟有些犹豫，也许是因为它的主人还生死不明吧。

"是的，就现在，快点拿出来吧。"

他那种警官的口气不容分说，我只能照办了，从储藏室里拿出了那只箱子。箱子并没有锁，直接拉开拉链就可以了。但我的动作依然小心翼翼，因为那是苏天平给我的东西。终于，在叶萧犀利的目光下，我缓缓地打开了箱子。

奇怪，箱子里面是很多揉成团的旧报纸，我把这些纸团拣了出来，才发现纸团里包着一些东西——"好像是玉器啊！"

叶萧也不禁叫了出来，他急忙凑上来帮着我一起整理，原来这些旧报纸是用来缓冲保护的。很快，一个圆盘形的玉器出来了，直径足有二十多厘米，中间有一个圆形的小孔，呈现出一种奇异的白色。我小心地捧着这块玉器，手上的感觉冰凉异常，一股寒意直往皮肤底下钻。

"看，箱子里还有其他东西。"

叶萧提醒我。我立刻将手里的东西放好，然后小心地蹲下来，将箱子里的其他玉器全翻了出来——

第二件玉器看起来像个斧头，带有条纹的黄颜色，大约有十几厘米长；第三件玉器方柱形，粗看像半截木桩，细看又像大理石笔筒，从上到下有个大孔，内圆外方，达二十厘米高，十厘米宽，重量起码有十斤；第四件玉器就显得很小了，雕成了乌龟的形状，只有火柴盒大小；而第五件玉器则是一把小匕首的样子，看起来更像是挂在腰间的饰物。

我把纸团全都拣出来，箱子也被翻得底朝天，总共就这五件玉器。

叶萧和我都有些不知所措，面面相觑地看着这堆东西。玉石之类的东西我懂的不多，所以也说不清它们的价值。特别是那件木桩似的大家伙，与一般小巧玲珑的玉器太不一样了，尤其是那家伙表面刻着许多奇怪的花纹，有点像张开血盆大口的怪兽。

"苏天平怎么会有这些东西？"叶萧总算是说话了。

我先让自己恢复镇静，然后仔细回想了一下昨天苏天平对我说过的话："对了，苏天平说他们在荒村的时候，闯入过一个地下通道。在那个地宫一样的地方，发现了很多奇怪的玉器，根据昨天他描述的样子，不就是这些玉器吗？"

"你是说……这些玉器来自荒村，是苏天平从神秘地宫带出来的？"

"怪不得，昨天感觉他漏了什么没说，原来他不好意思把这个说出来啊。"我一下子全想通了，"他们四个人在神秘地宫里，突然手电筒摔坏了，在黑暗中大家乱作了一团，苏天平就趁着这个机会，把这些玉器塞到自己的旅行包里，反正黑暗中谁都看不见，然后跟着大家一起跑出去，这样谁都不会察觉到。"

叶萧点了点头："两天后，苏天平把这些玉器带回了上海，而他的同伴们都不知情，是吗？"

"除此之外，再没有其他可能性了。否则他没理由不告诉我的，一定是怕这种盗窃行为被我戳穿，所以不好意思当面对我说。"

"那他为什么要把这些玉器交给你呢？"

"也许是绝望吧……"突然，我感到一种恐惧，"是的，在霍强和韩小枫死了以后，苏天平处于极度的恐惧中，他可能担心这些玉器会带来厄运，因为这都是他从地宫里偷出来的……"

叶萧打断了我的话："所以，他把这些玉器转交给你，也等于把厄运转移给了你。"

这句话让我一下子愣住了，半晌没有反应过来。我仿佛从梦中惊醒似的："难道，就像是诅咒录像带？一定要把录像带给别人看，把诅咒转移到别人的头上，自己才能没事？"

"不，我不相信这种事情存在。不过，或许苏天平相信呢。"

"难道说他要把诅咒转到我的头上？不，他不会是这种人。"

"也许是他看《午夜凶铃》实在太入迷，死马当做活马医……"

"够了，请别再说了。"此刻，我已身心俱疲，低下头看着那些古怪的玉器，心中的疑团越来越大，焦躁不安地在房间里踱起步。叶萧冷静地说："好了，接下来的事情我不干涉你，但你自己必须要小心。"

"那么这些玉器呢？"

叶萧看了看玉器说："暂时放在你这里，不知道这些东西是不是真古董，先去做一下文物鉴定吧。"

"好的，我认识这方面的专家。"

叶萧微微笑了笑说："兄弟，好自为之吧。"

然后，他匆匆地离开了这里。房间里只剩下了我一个人，独自面对着那些玉器，仿佛面对着另一个遥远的时空……

第十五夫

　　精神病院的走廊里弥漫着一股特别的味道，阳光从一侧的窗户照射进来，与想像中的气氛似乎不太协调。一个强壮的男护工与我擦肩而过，却让我明白这里依然是个特殊的地方。我轻轻地推开一间病房。温暖的阳光下，蜷缩着一个年轻的女孩。

　　是春雨。

　　昨天晚上，叶萧告诉我春雨已经找到，并被送进了医院。于是，我就决心去看看她，不论是出于同情还是责任，也不论她是否真的疯了。

　　刚才医生告诉我，春雨昨天送进来的时候神志不清，问她什么都回答不上来，嘴里喃喃地不知在说些什么，可能受到了过度惊吓以致精神分裂。医生不指望我能从她嘴里问出什么来，他认为春雨必须经过漫长的治疗才能康复。

　　现在，春雨缓缓抬起了头——她盯着我的那种眼神，就像是被屠宰前的羊羔，是那样绝望和无助。我的心狠狠一颤，难道我就那么可怕吗？不过，如果没有我的小说《荒村》，她会到今天这地步吗？想到这里，我低下头无言以对。

　　出乎意料的是，春雨首先说话了："你总算来了。"

　　"你知道我要来吗？"还是一直在等待着我的出现？

　　"是的，我知道你一定会来找我的。说吧，是不是他们三个人都死了？"奇怪，医生不是说她疯了吗？但是，现在她说话的语调平稳而冷静，神色和表情也很正常，看不出任何精神病的样子。

　　面对她的问题，我倒有些左右为难了。如果把苏天平的失踪也说出来，会不会刺激她呢？我只能强作微笑说："你不要太担心，你在这里非常安全。"

　　"算了吧，我知道这里是什么地方。"她说话的口气成熟了许多，似乎不再是那个小女生了，"你一定是来问我，在荒村发生了什么。"

　　"也许是吧，但我已经知道一些了。"

　　"是苏天平告诉你的？"

　　"对，我和他谈过。"

　　可是春雨摇了摇头说："那你还是有些事情不知道。"

"是什么事？"

她的眼神忽然有些恍惚，停顿了片刻才说出话来："那口井……"

"井？"

我的心跳立刻加快了。

"是的，进士第的后院里有一口井，关于那口井的秘密。"春雨的呼吸急促了起来，她理了理额前的头发说，"在离开荒村的前一天，苏天平和韩小枫都待在进士第里，而我和霍强则到古宅外边走了走。我们在村民中间打听到了一位老人，据说他是荒村年纪最大的人，对荒村的种种传说和掌故非常熟悉。"

"你们找到那位老人了？"

"是的，这位老人头发花白，胡子留了一大把，起码有八十岁了。和荒村其他村民一样，他看我们的眼神很怪异，然后就向我们讲了一个典妻的故事……"

"典妻？"

"你知道典妻的意思？"

"是的，我知道，继续说下去吧。"

"民国初年，荒村欧阳家很有钱，但欧阳老爷多年无子，便花钱租了一个穷人的妻子做典妻。后来，典妻为老爷生下了一个儿子，但她总想着要逃出进士第，与自己原来的丈夫、儿子相会，老爷便把她关在了后院里。终于有一天，典妻逃出进士第准备远走高飞，却被欧阳家抓了回来，老爷决定用最严厉的手段惩罚她。"

"沉——井。"我缓缓地吐出了这两个字。

春雨显然很意外："你知道这个故事？"

"是的，典妻被沉到了古井里。从此以后，就再没人敢去后院了。"

忽然，我想起了小倩，她也曾向我说过这个故事，显然这个故事应该是真的。春雨继续说："但你一定不知道，给我们说故事的老人，就是那个典妻的儿子。"

"典妻的儿子？"

"就是典妻进入欧阳家之前，和原来丈夫生的儿子。老人说他很恨欧阳家，事实上全体荒村人都不喜欢进士第。一九四九年以后，欧阳家败落了，就更没有人理他们家了，这个家族就像孤魂野鬼似的守着古宅，人丁越来越稀少，现在看来是彻底绝后了。"

我叹了一声："这就是冥冥之中的报应吧。"

春雨点了点头，她说话似乎困难起来："除此之外……老人还说荒村在古代是一个……麻风村。"

"麻风村？"这我还是第一次听说。至于我在小说《荒村》里，说荒村人是宋朝靖康之变的北方移民，则完全是出于我的虚构。

"是的，古时候麻风病人受到歧视，他们被家里赶了出来，四处流浪。许多麻风病人为了生存而聚集到一起，长途跋涉来到这块荒凉的海岸，并将其地命名为荒村。但是，在他们到达这里之前，已有一个家族世代定居于此，那就是欧阳家族。"

"欧阳家族与麻风病人生活在一起，共同组成了荒村？"

"但不知道为什么，欧阳家没有一个人染上麻风病。而那些外来的麻风病人们，大多能活到善终的年纪，并且养儿育女，传续后代，经过十几代人的繁衍，麻风病竟渐渐地从荒村消失了。"

"不可思议，麻风病在古代被认为是绝症，没人能治好的。"

"确实如此，所以几百年过去了，极少有人胆敢走进麻风村。"

"这也是荒村与世隔绝，保守闭塞的原因，是吗？"

"对，但不仅仅是这些。"春雨的眼神忽然变得诡异起来，"几百年来，荒村一直有这样的传说——有一个不为人知的重大秘密，隐藏在荒村的某个地方，所有外来的闯入者，都将受到这个秘密的诅咒。"

我忽然倒吸了一口凉气，看着春雨那种奇怪的表情，缓缓地说："所有外来的闯入者都将受到诅咒？"

"没错，一个都逃不了。"春雨的回答斩钉截铁。

但问题是——我也是"外来的闯入者"。

我感觉自己被什么击中了似的，一下子懵住了，不由自主地低下头，陷入了沉思中。然而，春雨却好像中了魔似的，嘴里喃喃地重复着同一句话："一个都逃不了……一个都逃不了……一个都逃不了……"

难以置信，她现在的样子就像个小女巫，而嘴里的话则像是古老的咒语，不停地在我耳边重复着。我紧张地看着她的脸，大声地说："春雨，你怎么了，快点醒醒啊！"

　　"一个都逃不了……一个都逃不了……"她似乎已经变成了另一个人，双眼无神地看着前方，脑袋随着口中的自言自语猛烈摇晃着，摇动的频率越来越快。看着她，我的头都晕了，连忙大声地呼唤护士。

　　这时，随着春雨剧烈的摇晃，藏在她怀中的挂件跳了出来。瞬间，我的眼睛像是被什么刺痛了——挂件是一枚玉指环。我再也顾不上发疯的春雨了，眼睛直勾勾地盯着她胸前的玉指环——它呈现出一种奇异的色泽，让我的眼睛也跟着她一起晃动。

　　几个强壮的男护工冲了进来，好不容易才制伏春雨，然后由一个护士给她打了针。春雨在激烈挣扎的过程中，脖子上挂件的绳子断了，那枚玉指环掉到地上。我立刻弯下腰捡起玉指环，退到一边看着春雨。

　　大约十分钟以后，护工们退出了房间。春雨终于恢复了镇定，满脸疲惫地看着我。我向她晃了晃玉指环说："对不起，你的东西掉了。"

　　春雨眯起了眼睛，看了玉指环好一会儿说："不，这不是我的东西，你拿走吧。"

　　"那它是谁的？"

　　她用一种奇怪的嗓音幽幽地说："它属于荒村。"

　　"荒村？"

　　我又仔细地看了看这枚玉指环，它比一般的指环略厚一些，主要是半透明的青绿色，但在指环的侧面，却有一块怪异的腥红色。

　　瞬间，我的手像是触电似的，脑子里回想起苏天平说过的话。对啊，他们在荒村闯入了一个神秘地宫，在地宫最里层的密室中，他们发现了一个神秘的玉函，里面装着一枚玉指环。

　　——就是这枚玉指环，和苏天平描述的一模一样。

　　我盯着春雨说："这枚玉指环，应该是在荒村地下密室里的。"

　　她看起来有些害怕，立刻点了点头。

　　"当时，霍强的手电筒被摔坏了，所以你趁着黑暗的机会，将这枚玉指环从密室里偷了出来?"

"是的,你把它拿走吧。"春雨颤抖着说,眼神是那么冷漠。

这时,护工们又闯了进来,他们扶起春雨,要把她送到住院区去。春雨非常顺从地向外走去,但当她走到门口时,像是想起了什么似的,回过头来对我说:"还有一张照片……"

"什么照片?"

我立刻扑到她身边,但护工抓住她的手臂往外强拉。春雨使劲攀住门框,急促地说:"一张关于荒村的照片,被韩小枫拿走了。"

我还没来得及说话,春雨已经被护工拉到了走廊里。她强行扭过头看着我,露出一种诡异的表情,很快就从我的视线里消失了。我独自站在门口,回想着春雨的最后一句话,身体像是被什么凝固住了。

此刻,那枚小小的玉指环,正紧紧攥在我的手心里。我缓缓摊开手掌,一些汗珠正沾在玉指环上。我轻轻地擦去这些汗珠,感觉就好像是在水中淘金一般。忽然,我出于某种本能的意识,把玉指环放到了自己的手指尖上。正当我要试着戴上它时,手机铃声突然响了起来。

我打了一个冷战,慌忙将玉指环塞入口袋里,然后接起了电话。

一个磁石般的女声从电话里响起:"喂,我是聂小倩。"

是她?几天不见,忽然听到她的声音,心中立刻有种说不出的感觉,我傻傻地问道:"你在哪里?"

"我在上次见面的地铁书店里,你在哪儿呢?"

"精神病医院。"

"天哪?他们把你关进去了?"

大概任何人听到这样的回答,都会晕过去的吧。我也暗暗好笑地说:"对不起,我刚才没说清楚,我是在精神病院探望一个病人。"

"哎,那种地方是不能随便去的。"

这时我试探着问道:"我们现在能谈谈吗?"

"好的,我在书店等你,不过你得快点,否则我等不及就要走了。"

"行。"结束通话后,我迅速地跑出这房间,只留下急促的脚步声回响在精神病院的走廊中。

离开精神病院后，我只花了二十分钟，就抵达了那家地铁内的书店。当我气喘吁吁地跨进书店，在一排排书架中寻找小倩时，听到身后一个细微的声音："你来晚了。"

我长出了一口气，回头果然见到了小倩。她穿着一条黑色的裙子，头发束起了马尾辫，看起来又和上次有些不同了。

"你去精神病院看什么人？"她摆着一个特别的姿势问我。

"春雨。"

"那个去过荒村的女大学生？"

"她疯了。"

小倩的神色变得凝重起来："为什么？"

"不知道。去过荒村的那四个大学生，回到上海后就相继死了两个。另一个男生也失踪了，现在生死不明。而春雨则已经疯了，被关在精神病院里。"

"简直就像一场噩梦。"

"没错，就是噩梦。"我轻声地叹了一口气，耳边似乎又响起了春雨的声音，"刚才在精神病院里，春雨对我说了一个荒村的故事——典妻与那口井的故事。没错，她在荒村听说的这个故事，与你告诉我的故事完全一样。"

小倩点了点头，自信地说："现在你该相信我了吧？"

"好吧，我相信你。春雨还告诉我，荒村的某个地方埋藏着一个不为人知的秘密，所有闯入荒村的外来者，都将遭到这个秘密的诅咒。"我直勾勾地盯着她的眼睛问道，"小倩，这是真的吗？"

她似乎很害怕，回避着我的目光说："我不知道……不知道……对不起，我忽然有些心慌。"

"怎么了？你身体不舒服吗？"

"不，不，你可不要乱猜。"她立刻斩钉截铁地打断了我的话。

"那好，我不问下去了，你还是早点回去休息吧。"

说着，我们已经走到了书店门口。她淡淡地说："你去哪儿？"

"我现在坐地铁，去春雨他们那所大学。"

小倩似乎又来劲儿了:"去那里干什么?"

"有一张与荒村有关的照片。春雨说,那张照片被韩小枫拿走了。"

"我们走吧。"她说着就往外走,我有些摸不着头脑:"去哪儿?"

"去那所大学啊,你不是说要去找那张照片吗?我和你一起去。"

这个回答让我更加不知所措。"你去干吗?这件事和你没关系。"

"只要与荒村有关,我就一定要参与,走啦——"小倩拉着我来到了地铁的检票口,我怔怔地问:"那你今天不去冰淇淋店上班了?"

"反正也是打工,偶尔一天不去也没关系。"

正说着话,她已经穿过了检票口,回头对我说:"你到底去不去啊,不然我自己一个人去喽。"

于是,我只好硬着头皮走了进去,和她一起走到站台上。

趁着等车的空当,我轻声说道:"你会后悔的。"

她冷冷地回答:"不,后悔的人将会是你。"

地铁列车呼啸着驶来了,我们匆匆走进车厢,却都沉默了,任由列车带着我们的身体,飞速地穿越隧道。

一路上我一句话都没说,只是面无表情地看着前面的车窗。黑暗的隧道里,我们的脸浮现在车窗玻璃上。我觉得她一直在看我,但我却看不清她的眼睛,就像对着一面模糊的镜子,镜子后面还藏着一个人。

二十多分钟后,我们才回到地面上,来到春雨他们学校。

当我找到韩小枫的寝室,想要看一看她遗留下来的东西时,一个老师却拦住我们,想必是霍强、韩小枫的死让学校很紧张,不敢让更多的人知道。

万般无奈,我只能说了个谎,说自己是韩小枫家里的亲戚,要把她的遗物带走。但老师说韩小枫的遗物已经整理过,移交给她的家属了。

我和小倩只好失望地离开女生楼。迎面走来几个女生,手里正好拿着《萌芽》杂志。我忙厚着脸皮叫住她们,告诉她们我就是小说《荒村》的作者,我想向她们打听韩小枫的情况。

没想到她们都非常喜欢小说《荒村》,立刻围着我说了很多话,而把小倩晾在了一边。然而,当我问到韩小枫时,她们都害怕起来,没有人敢再说下去了。

当我准备要走的时候，一个女生忽然叫住我："我想起来了，韩小枫还有一个储物箱，我带你们去吧。"

我和小倩跟着这女生，离开宿舍区，走进了一栋楼的大厅。在一条宽阔的走廊边，镶嵌着许多个储物箱，大小就和信报箱差不多。那女生一眼认出了韩小枫的箱子，因为箱子上贴着韩小枫的名字。

然后，那个女生就悄悄地离开了。

看着箱子上"韩小枫"的名字，我喃喃自语道："可我们没有钥匙怎么办呢？"

但小倩径自伸手拉了拉箱门，居然把小储物箱打开了。我还是摇了摇头说："韩小枫死了以后，学校一定打开过这箱子，看来我们不会再找到什么了。"

"让我看一看。"小倩把手伸到了箱子里面，但只摸出了一大团废报纸，看来有价值的东西都被拿走了。但她还是不死心，似乎在储物箱的里层摸索着，忽然，她的眉头微微一皱，从箱子里摸出了一张照片。

她喘了口气说："它被贴在最里层的上面。"

"怪不得没有被学校发现。"

我从小倩手里接过照片，发现这是一张黑白老照片，颜色有些泛黄，摸在手里的感觉脆脆的，似乎很容易就会碎掉。

照片里是一家人的全家福，总共有五个人——前排坐着一对老年夫妇，看起来都有七十多岁了，老头子精瘦精瘦的，穿着长衫，留着长长的胡须，头发也留得很长，看起来颇有些古风；老太婆穿着一件旗袍，脸上不知道抹了多少粉，惨白惨白的像个僵尸。后排应该是一对年轻的夫妻，男的二十七八岁的样子，穿一身笔挺西装，风度翩翩，就像《金粉世家》中的少爷一样；女的只有二十岁出头的样子，怀中还抱着一个襁褓中的婴儿，她穿着民国时流行的短袖旗袍，露出一双白嫩如藕的手臂来，脸庞清瘦而秀丽，目光略带几分忧郁，不像是那种丰满的年轻母亲的样子。

小倩和我都看得愣住了，似乎这张照片里的人物，都还拥有某种生命似的看着我们，尤其是那个怀抱婴儿的年轻女子，她那奇怪的眼神，仿佛能穿透这老照片的光阴。我不禁自言自语地说："奇怪，怎么会有这种感觉？"

再仔细地看看照片里的背景。好像是一间宽敞的客厅，后面似乎还有一架钢琴，墙上有一个大壁炉，上面有几盏壁灯。

有壁炉的那一定是老式洋房了，可荒村不可能有这样的房子啊？

忽然，小倩把照片翻了过来，我这才发现照片的背面有字，好像是用黑色颜料写上去的——

民国三十七年四月五日摄于上海荒村公寓

我轻声地把这句话念了出来，念到一半忽然觉得后背有些发毛。小倩也睁大了眼睛，怔怔地说："天哪，也许我们真的发现了什么。"

"等一等，让我们先冷静一下——民国三十七年？换算成公元纪年就是一九四八年。民国时期是用阳历的，四月五日阳历应该是清明节。"

"这张照片拍摄于一九四八年的清明节？"

我点点头，但随即又锁紧了眉头："只是……'上海荒村公寓'究竟是什么地方？"

"最起码是在上海吧。"

"春雨说这是有关荒村的照片，应该不仅仅只是'荒村公寓'这四个字这么简单。这张照片肯定是在荒村进士第古宅里发现的，然后又被韩小枫收了起来。她将照片带回上海，并小心地藏在这个储物箱里。"

小倩似乎一下子全明白了："这么说来，这张全家福照片上的五个人，一定就是——欧阳家族？"

"没错，这应该就是欧阳家在上海拍摄的全家福。真没想到啊，荒村的欧阳家居然还在上海住过。"

"而上海还有一座荒村公寓。"小倩补充道。

我又感到头疼欲裂，看着这张黑白老照片，心里有一种说不出的怪异感觉。于是我收起了这张照片，小心地夹在笔记本里，然后塞进了自己的包里。

终于，我和小倩离开了那里，赶在天黑前走出了校园。虽然发现了这张照片，但我们的情绪都异常低落。也许每次有新的发现，就意味着我们与荒村的秘密之间，还有更艰险的道路要走。

　　"荒村公寓"究竟在哪里？

今天是这个故事的第十六天，从这一天起你将发现——故事已进入了一个新的迷宫。

天气越来越热了，昨天从精神病院到地铁书店再赶到大学，出过一身臭汗的我把衣服都换了下来。无意中，我在口袋外摸到了一个硬物，心里莫名其妙地一颤，连忙把手伸进袋中，摸出了那枚绿色的玉指环。

这是荒村地下密室里的玉指环，它究竟应该戴在谁的手指上呢？

昨天在精神病院里，春雨为什么会把它挂在脖子上呢？我本没有想到要带走它，但现在它已经在我手中了——也许这就是它的宿命吧。

我仔细地看了看玉指环，侧面那块腥红色的污迹，感觉就像是某种烙印似的镶嵌在绿色的玉石中。我打了个冷战，似乎这玉指环要把我的体温都吸走似的。我立刻放下了玉指环，将它放入一个小盒子，并锁在了抽屉里。

昨天真的很累，黄昏时分从大学出来，我便与小倩告别，自己打车回家了。回到家还没来得及喘气，我就给叶萧打了个电话，把一天内知道的情况都告诉了他，尤其是最后那个疑问。

现在，那张照片就夹在我的笔记本里。我目不转睛地注视着照片上的几个人，那种感觉很难用语言来形容的。

电话铃突然响了。我立刻接电话，听到了叶萧的声音。

"我找到荒村公寓了。"

一开始我还没反应过来，但几秒钟后，"荒村公寓"这四个字，就像子弹一样打在了我心里。我大声地说："你是怎么找到的？"

"昨天晚上，你说荒村公寓应该是一九四九年以前建造的老式洋房。今天上午，我通过公安局的内部档案，查阅了旧上海所有的地名资料，总算查到了荒村公寓这个名称。"

我迫不及待地追问道："在哪里？"

"安息路13号。"

叶萧缓缓地吐出了这几个字，我一下子愣住了——安息路，上海有这么一条马路吗？我急忙问道："安息路13号？我没听错吧，我可从来没听说过有这么一条路。"

"没错，就是这个地方。还记得我们小时候，经常去玩的那条后马路吗？"

"小时候？"记忆立刻飞速旋转了起来，一条清冷阴郁的小马路，正模糊地浮现于眼前，"对，我想起来了，过去我们家后面那条不知名的小马路。"

"那条路就叫安息路。"

"谢谢你，叶萧。"

叶萧似乎还想对我关照什么，但我已经迫不及待地把电话挂了。

因为，我还要给另一个人打电话——聂小倩。

在随后的电话里，我把刚才得到的消息告诉了她。小倩也显得非常兴奋，立刻要去荒村公寓看看。我答应她，说好半个小时后，在安息路13号大门口碰头。

带上那张老照片，我匆匆向安息路赶去。

刚才叶萧的电话，让我又回想起了童年。那时我们家的老房子，前后都是一些小马路，布满了旧式的里弄房子。但是，自从十岁那年搬家以后，我就再也没有去过那个地方，剩下的一些记忆也渐渐淡忘了。

半小时后，我抵达了十几年前我的家，没想到这里已经成为了一片工地，原来的房子早就被拆迁了。看着建筑工地上的一片废墟，我的心里涌起一阵酸涩，这就是岁月流逝吗？

来不及感慨了，我快步转过一条横马路，来到了后面那条小马路上。果然，我看到了路牌——安息路。

就是这里了。看着这条清冷的小马路，童年记忆如电影般一幕幕上映，带着我缓缓向前走去。我很自然地想起了小时候，叶萧经常带着我到这里来玩，那时这条路两边都是一排排老房子，躲在茂盛的绿树中间，让我们这些孩子有几分好奇，又有几分畏惧。这里几乎看不到有汽车开过，就连行人也极其稀少，狭窄弯曲的马路可以随意穿越，有时安静得吓人，似乎隔着一条马路的地方，就是另一个世界了。

然而，现在这一切都改变了——路边的房子都被拆光了，有的已是一片瓦砾废墟，有的还剩下残垣断壁，几辆推土机在废墟中工作着，一些建筑工人正在搭建临时房子——安息路变成了一个大工地。

荒村公寓会不会也化为废墟了呢？如果是那样的话，我不是前功尽弃了吗？我在心里默默祷告着，一路小跑向前奔去，目不转睛地扫视着马路两边。

天色越来越阴暗了，一些雨点悄悄落了下来，让我心里愈发不安。

就在我即将跑到安息路的尽头时，发现一堆废墟中间，矗立着一栋绿色的房子。

这是一栋英国式的三层楼房，外墙爬满了绿色的藤蔓，将整栋楼紧紧包裹了起来。雨点越来越大了，在阴郁的天空下，这栋绿色的楼房孤独地矗立着，周围是一大片残垣断壁。眼前这样的一幅画面，酷肖英格兰荒原上的古代遗址，让人一阵阵地心悸。

雨点越来越密集地打在脸上，我只能踏着一地的瓦砾废墟，向那栋绿色的房子跑去。

楼下站着一个年轻的女子，正仰起头看着房子的屋顶，她穿着一条白色的裙子，没有打伞。雨点渐渐地将她打湿，裙子紧紧贴着身体，从背面看她的曲线真的很迷人。

我终于也冲到了楼下，立刻就叫出了她的名字："小倩。"

她的脸色似乎不太好，怔怔地转过头来说："你迟到了。"

"对不起。你干吗站在这里，当心淋雨着凉。"说话间，我发现自己也被雨淋湿了，样子似乎比她更狼狈。小倩并没有在意我的话，仍然直勾勾地盯着这栋楼房说："这里就是荒村公寓。"

"荒村公寓？"

这四个字又让我心里一抖，这才发现楼房底下挂着门牌号码——安息路 13 号。没错，叶萧说的地方就是这里了。我抑制不住心里的激动，抓起小倩的手就往房子里冲。

在抓住她手的一刹那，心头竟流过一缕温暖，她的肌肤光滑而冰凉，还沾着一些雨水，那又滑又凉的感觉，让我不好意思起来。

但她挥动着手说："不要，这栋房子的感觉很怪异，我们不要擅自闯入。"

"你想在雨中淋成落汤鸡吗？"

我紧紧地抓住她的手，飞快地冲到底楼大门前，房檐挡住了雨水。我用力地敲了敲门，但里面一点反应都没有。我又趴在窗户上向里看了看，可光线实在太暗了，什么也看不见。

情急之下，我们转到房子的后面，发现有一道不起眼的后门，似乎是虚掩着的。我尝试着轻轻推了推，没想到居然把门推开了，我立刻拉着小倩走了进去。

我们进入荒村公寓了。

进门是一道长长的走廊，两边堆放着许多乱七八糟的旧家具和垃圾，昏暗的光线让我的眼睛不太适应。随着我们的脚步，厚厚的尘土飞扬了起来，我忙用手捂住了口鼻。

直到这时，小倩的手才从我手掌中挣脱出来，她揉了揉手腕说："这可是你要闯进来的。"

灰尘渐渐散去，我长出了一口气说："刚才在电话里，你不是说很想看看荒村公寓吗？怎么现在又感到害怕了？"

"我也不知道为什么。"小倩用手帕擦了擦被雨打湿的头发，露出茫然的眼神，"当我站在这栋房子的下面，仰望着三楼的窗户时，心里忽然产生了某种异样的感觉，我无法用语言来形容它，但我确实感到了恐惧，对于这栋房子的恐惧。"

听着她那种幽幽的声音，我的心里也有些发毛了，但我还是安慰她说："不，那只是你的心理作用。"

她依然摇了摇头，又开始用手帕擦拭被打湿了的裙子。

我有些脸红，不自在地问道："你被淋湿了，要紧吗？要不然我陪你回去吧。"

"算了吧，既然已经进来了，那我们就先看看吧。"

小倩总算抬起了头。她身上已经擦干了一些，目光直直地对准走廊的尽头，那里沉浸在一团漆黑中。我在前面小心翼翼地走着，每走一步都会扬起灰尘，我不断地用手挥散灰尘，感觉就像是走在某个地道中。这让我想起了苏天平讲述的荒村地宫。

忽然，走廊旁边出现了一个房间，昏暗的光线里可以依稀分辨，这是一个进门的玄关，刚才我敲的门应该就是这一扇了。

后面的门厅空空荡荡的。我抬起头仔细观察墙壁和天花板，看起来这房子的装饰还不错，是英式风格。只是墙上布满了灰尘，还有经年累月的污迹，许多天花板表面都脱落了，这种斑驳的样子令人望而生畏。

往里还有一个大厅，我的眼睛现在已经适应了这里的光线。这个大厅非常宽敞，就算有十几个人跳舞也足够了。大厅内侧还有一道旋转的楼梯，我走到楼梯边向上仰望，犹豫了好一会儿，还是没敢走上去。也许是空关太久的缘故，这房子散发着一股陈腐的味道，让进来的人感到胸闷气短。

然后，小倩走进了旁边一个房间，我赶紧跟在她后面。那也是一个宽敞的房间，采光要比刚才稍微好一些。但让我们惊讶的是，房间里居然摆着一架黑色的钢琴。

小倩立刻扑了上去，虽然钢琴上积了许多灰尘，但她还是打开了上面的盖子。一排黑白相间的琴键露了出来，她伸手在琴键上按了几下。然而，想像中的曼妙音符并没有流出来，这架钢琴就像是个哑巴一样，任凭小倩怎么按键，都不发出任何的声音。

我仔细地看了看钢琴下面的商标，它是一九四七年英国出品的，"已经那么多年了，这架钢琴大概早就坏了吧。如果没有坏的话，如此贵重值钱的钢琴，肯定已经被人家搬走了。"

然后，我又到钢琴后面看了看，果然如此，里面的部件都已经一塌糊涂了，就像一台破烂的机器，只剩下废铜烂铁了。小倩也点了点头，失望地合上了钢琴盖子："你说的没错，否则它不可能留在这里。"

这时，我又回头看了看里侧的墙壁，再看了看这架钢琴，突然叫了起来："就是这里了。"

"你说什么?"

"和照片里的一样。"

我立刻从包里拿出了那张照片，那张欧阳家的全家福。我指了指眼前这面墙壁，小倩立刻点了点头："对，钢琴和壁炉。"

原来，这面墙上镶嵌着一个大壁炉，在墙的上侧还有几盏西式的壁灯，再加上这架钢琴，都跟这张老照片里的背景完全相同。我们又仔细地对比了一下，举着照片走到房子的另一侧，这里应该就是摄影师所在的位置，站在这里看出去，就和照片里的视角一模一样，后面的背景几乎没有任何改变，仿佛时光在这房间里凝固住了。

"就是在这个房间里拍的。"我怔怔地盯着老照片，"没错，这里就是荒村公寓。已经五十多年过去了，但当我们站在这里，看着这张照片里的人，就好像他们还在这房间里似的。"

"不要乱说话。"小倩立刻打断我，好像我犯了什么忌讳似的。她又回头看了看窗外，外面已经是倾盆大雨了，密集的雨点连着暧昧的天色，再加上这房间里潮湿陈腐的空气，都让人产生窒息的感觉。

"外面下那么大雨，一时半会儿也停不了。我们先看看这房子吧。"

说着，我走出大房间，又在底楼各处走了一圈。在大厅另一边好像是个厨房，但看不到任何餐具，灶台上爬满了蜘蛛网。此外还有几个小房间，大概是过去佣人们住的吧。

我又来到楼梯口，小心翼翼地走了上去。旋转楼梯还算结实，只是木栏杆上积了厚厚的灰尘。在楼梯上转了一圈，终于来到荒村公寓的二楼。迎面是一条长长的走廊，但看不到一丝光线，我不敢贸然走进去。墙壁上有一个电灯开关，我试探着按了一下，没想到灯竟然亮了，原来这里始终都没有断电。

身后，小倩清脆的脚步声跟上来了，空旷的大房子里发出奇特的回音，我向她微微一笑："也许这里还可以住人呢。"

但她的神情始终保持着严肃："可为什么一直没有人住呢？看起来，至少已经空关好几年了。"

我径自走进走廊。头顶的灯光很暗，照在一片扬起的灰尘上，感觉像是一团浓雾。我使劲挥手拨开雾团，大着胆子推开旁边一扇房门。

这是一个大约十几个平方米的房间，里面还是空空荡荡的，受潮的墙壁大部分都脱落了。我缓缓走到窗户前，窗沿爬满了绿色的藤蔓叶子，几乎要把半个窗口覆盖住。从绿叶掩映的窗户向外看去，是一大片废墟和拆迁工地，更远处是已经建起来的高层建筑。窗外的瓢泼大雨继续下着，一些雨点从破碎的窗玻璃溅进来，我深吸了一口气，就连空气都是湿湿的，这房子好像浸泡在水中似的。

我回过头，看到小倩也站在门口，她的脸色异常苍白，半湿的发绺粘在额头上，目光也显得十分疲倦。我走到她身边说："是不是着凉了？"

"不，我只是觉得这房子的空气有些怪。"

"老房子里总有这么一股怪味，这很正常。"

然后，我回到走廊的楼梯口，向通往三楼的方向望了望。楼上露着几丝微光，我扶着栏杆犹豫了好一会儿，心跳莫名其妙地加快了。

脚刚刚踏上楼板，小倩却突然拉住了我，幽幽地说："别上去。"

"为什么？"

她的眼睛盯着我："不知道，但你别上去。"

我和她对峙了几秒钟，但最后还是我妥协了。"好吧，离开这里。"

走下旋转楼梯，我们回到了底楼，前门似乎是被封死了，只能从进来的那条走廊出去。走廊边堆着许多杂物，我发现其中有把旧伞，是八十年代那种钢骨的黑伞，我试着把伞撑了开来，看起来它还能用。

于是，我和小倩合撑着一把伞，从后门走出了荒村公寓。

走出这栋压抑的老房子，我们都贪婪地呼吸着雨中的空气。大雨不停地敲打着雨伞。幸好这把伞很大，正好可以容纳我们两个人，而小倩似乎有意识地与我保持几厘米的距离，尽量不碰到我的身体。

一路上全是瓦砾和废墟，就好像走在某个古代遗址上。我不时地回头望去，荒村公寓在一堆废墟中间，浑身都被绿色的藤蔓捆绑着。我想像大雨使这些植物放肆地生长，绿叶伸展到老房子的每一个角落，这也许是它们最后的狂欢了。

我们艰难地在雨中穿行，好不容易才走出这片废墟，我忽然想起了什么："等一等，我还想去一个地方。"

大雨似乎使小倩心烦意乱："哪里？"

"物业公司，只有在那里才能问出更多有关荒村公寓的情况。"

小倩犹豫了片刻说："好吧，我们走。"

雨天实在碰不到几个人。我们好不容易才打听到物业公司，就在离此两条马路的地方。于是，我和小倩合撑着伞，赶紧找到了物业公司。

我谎称自己是记者，要搞一个关于老房子的新闻调查，向物业询问安息路 13 号的房子。

"安息路 13 号？"物业公司的负责人倒吸了一口凉气，吃惊地问道，"你们怎么问起那栋房子来了？"

"有什么不对吗？"

"那栋房子再过十天就要拆了。"

我的心里像是被打了一拳似的，急忙摇着头说："不可能，怎么可能要拆了呢？"

"你们没看到吗？整条安息路上的房子全被拆光了，现在只剩下那一栋楼了。按照拆迁队的施工计划，安息路 13 号将是最后一栋被拆的房子。"

"为什么要拆它呢？"

"安息路两边的地皮都批租了，准备要开发高档楼盘。"

我一下子变得语无伦次起来："那现在这房子属于谁呢？"

"这房子本来就属于国家，也就是我们物业所有，前些年一直空关着，早就没有人住了。"

"那么大的房子，怎么会没人住呢？难道不能出租吗？"

"当然想租掉它啦，也有许多人来看过房子，准备出大价钱租下来。但人家一走到房子里面，就感到阴气太重，不吉利。现在租房子很讲究风水的，尤其是那些有钱的大老板，个个都很迷信，一看风水不好，就说什么也不敢租了。"

"那你知道这房子在解放前的情况吗？"

物业公司的负责人摇了摇头说："那实在太久了，我们也不清楚啊。"

我知道再也问不出什么结果了，便谢过他们，匆匆离开了物业公司。雨已经渐渐小了，小倩的眼神总是在发愣，我碰了碰她说："你怎么了？刚才在物业公司，你一句话都没说。"

"我能说什么？"她冷冷地回答，这种口气让我望而生畏。

我感到几分绝望，仰着头说："算了吧，小倩，这件事本就与你无关，你不要再来了，忘掉所有的一切吧。"

但小倩摇了摇头说："不，我也想知道荒村的秘密。"

我不知道该怎么对她说，事实上我自己的心里也很乱。我把伞交到小倩手中说："我走了，再见——不，不要再见面了吧。"

然后，我头也不回地冲到雨幕中，拦下一辆出租车回家。坐在出租车的后排，我回头望着路边的小倩，她纤长的身体连同那把黑伞，如同一尊美丽的雕塑。

第十七天

从这一天起，我只剩下十天的时间。

因为再过十天，安息路13号的荒村公寓，就要被推土机夷为平地。而这栋欧阳家族住过的老房子，是我打开荒村之谜的惟一希望。

昨天晚上，我翻来覆去想了整整一夜，终于下定决心，无论付出什么代价，我都要解开荒村的秘密。所以，我必须赶在荒村公寓被毁灭之前，充分了解这栋房子，把隐藏在其中的秘密挖掘出来。在这短短的十天时间里，除了我自己住进荒村公寓以外，已经没有其他办法了。

于是，我先去了荒村公寓所属的物业，告诉他们我是一个作家，在写一本关于四十年代旧上海建筑的书，特别看中了荒村公寓的老房子。但听说那房子就快被拆了，所以想抓紧时间先在里面住上几天。物业的工作人员很爽快地答应了我的请求。

然后我在家里准备了一下，比如电饭煲、微波炉等日常生活必需品，还有一张简易的折叠床。至于电视机、冰箱之类的大件，我想在那边是用不着的。

我租了一辆货车，搬运工人把这些东西搬上了车，目的地是荒村公寓。半小时后，这支微型的搬家队伍抵达了安息路。

当我走下货车，看着安息路13号的老房子时，心跳又一次加快了。搬运工抬着我的家什穿过拆迁工地——这些人的眼神告诉我，他们以为我大概疯了，怎么会搬到这种地方来。

从荒村公寓的后门进去，穿过那条布满灰尘的走廊，搬运工们都皱起了眉头，大概他们还从来没接过这种活吧。我把所有的东西都搬上了楼梯，放在二楼一间宽敞明亮的屋子里。

搬运工人离开后，我足足花了两个小时，把房间打扫了一遍，清理掉不知多少年积下来的灰尘，总算是可以住人了。我又做了一个简易柜子，里面放了我的书和衣服，折叠床也搭了起来，铺上床单还是很舒服的。我还试了一下房间里的电源，完全可以使用电饭煲和微波炉。

在自己家里也没这么打扫过——我趴在窗口上喘着粗气，心里却有几分成就感——现在这里就是我的房间了，尽管只有短短十天。

接下来，我在二楼各个房间看了看。这层楼总共有六个房间，每一间都差不多，里面没有任何家具摆设，地上布满了灰尘。我实在没有精力把每个房间都打扫一遍，只能仔细地检查一下，看看房间里藏了什么东西，但却一无所获。

在二楼走廊的尽头，我还发现了一个卫生间，非常宽敞，至少有十个平方米，墙上和地上贴着白色的瓷砖，抽水马桶还可以使用。在卫生间的内侧，甚至还有一个白铁皮的浴缸，只是积满了灰尘。水槽后面有一面镜子，镜面蒙着灰尘，镜子里的我朦朦胧胧，仿佛面对着古代的铜镜。我打开水龙头，放出了混浊的自来水，几分钟后水渐渐干净了。我把水泼到镜子上，水流如瀑布般从镜面淌下。冲刷净经年累月的尘垢，水帘中渐渐露出了我的眼睛。我盯着自己在水幕后的眼睛，竟然有些不认识自己了。我连忙摇了摇头，用抹布把镜子擦了一遍，终于又重新认出了我的脸。

我用眼角的余光瞄着镜子，缓缓退出了卫生间。奇怪，刚才看着镜子的时候，我难道在镜子里见到了另一个人？我不愿意再想了，匆匆下楼去了。

底楼的大厅实在太大了，我只能戴上一副口罩，先往地上洒了很多水，然后再用拖把拖一遍了事。然后，我来到通往后门的那条走廊，打开幽暗的电灯，两旁堆积的杂物立刻弥漫起一股烟雾。幸好我戴着口罩，在那些乱七八糟的旧家具里，寻找可能有用的线索。

这些旧家具都破旧不堪，也看不出是什么年代的，大概稍微值钱一点的都被搬光了吧。其中还有打碎的锅碗瓢盆之类的，这些东西连收破烂的都不会要。当我累得满头大汗时，忽然在一个破烂的柜子底下，看到了一个大喇叭似的东西。

我连忙把那个东西搬出来，才发现它是一个老式的留声机，花朵似的喇叭向上张开，下面是一个方形的机盒，应该是个古董级的家伙了。我连忙把这台留声机搬到了大厅里，放在一个旧柜子上面。再看看这宽阔的大厅，还有脚下的木头地板，我一下子就明白了，当年留声机就是放在这里的，因为欧阳家经常开家庭舞会。于是，我情不自禁地走到了大厅中央，天花板的中心悬着一根空荡荡的铁杆，过去这里一定有一盏华丽的吊灯。我又向大厅四周张望了一圈，想像着当年舞会的盛况，留声机里放出的是华尔兹还是圆舞曲呢？

天已经渐渐地黑了，夜幕下的荒村公寓一片寂静。我独自站在空旷的大厅中心，仿佛在与某个人对峙着。终于，我默默离开了大厅。踏上旋转楼梯时，整栋老房子都传来轻轻的脚步声。

回到二楼的房间，我早已经准备好了微波炉晚餐。想起来真有点可笑，我居然在这古老的荒村公寓里，过起了微波炉时代的生活。

吃完这份别开生面的晚餐，我又一次趴在窗口，一些绿色藤蔓几乎已经爬进了房间。我嗅了嗅，那应该是爬山虎叶子的味道吧？这些古怪的植物味道，和老房子里弥漫的陈腐味道混合在一起，会不会发生某种化学反应，制造出一种新的化学元素呢？我把头伸出窗外大口地呼吸着，不，这些可恶的气味还将陪伴我十天。

窗外的上海已经灯火通明了，今晚又是一个不夜天。在两条马路外，几十栋高层建筑遮挡住了我的视线，但依然能看到远处的浦东陆家嘴，那些高耸入云的摩天大楼的尖顶。与这不夜的上海相比，荒村公寓简直就是另一个世界，看着窗下一大片残垣断壁的废墟，我觉得自己像是被围困在一座荒无人烟的孤岛上。

忽然，我的手机响了起来。

手机里传来叶萧急促的声音："你在哪里啊？刚才我去你家找过你，邻居说你搬家了。"

"我没有搬家，只是在外面暂住几天。"我犹豫了一会儿，终于说出了实情，"好吧，我告诉你——我在荒村公寓。"

"你找到了？"

"不但找到了，而且还住进来了。"

"你住进荒村公寓了？"叶萧显然被我吓着了，我很少听到他在电话里如此焦急，"你疯了吗？"

"我没疯，这是一栋三层楼的老房子，已经空关许多年了。现在安息路上的房子都拆光了，就剩下荒村公寓这一栋楼，十天之后这栋楼也要被拆了。我已经没有其他办法了，只有自己住到这栋房子里，赶在十天之内，破解荒村和欧阳家的秘密。"

叶萧的口气又变得严肃沉重起来："生活和小说是不一样的，你不要以为自己可以和小说里的人物一样——你不能，我们每一个人都不能，明白吗？我们都不能面对恐惧的生活。"

"我自己的事情，我自己会处理的。"

叶萧苦笑了一声说："不，我看你还在霍强和韩小枫死去的阴影下。听我说，无论是噩梦还是心肌梗死，他们都是自然死亡，并不是被其他人杀害的，只能被看做是意外。"

"意外？可无论如何，我也是去过荒村的，也属于'外来的闯入者'吧。"

"你担心你自己的安危？"叶萧停顿了片刻，"你不会有事的。"

"谁知道呢。叶萧，你现在能不能帮我再查一查荒村公寓过去的情况？我相信这里一定还发生过许多事情。"

"好吧，我答应你。但你也要答应我，快点离开那个鬼地方。"

"我会离开的，只要我一发现那个秘密。"

面对我的执拗，叶萧实在无话可说了，我们结束了通话。

离开窗户，头顶的电灯泡照射着我苍白的脸孔，我念起了那几个大学生的名字——霍强、韩小枫、苏天平、春雨，现在他们四个人里已死了两个，疯了一个，还剩下一个生死不明。当这个故事的第一天，他们来到我的面前，向我提出到荒村探险的计划时，我做梦都不曾想到会是这种结局。

他们究竟冒犯了荒村什么呢？

我疲惫不堪地躺倒在床上，浑身上下一点力气都没有，这房子里的空气让人昏昏欲睡。但今天打扫房子流了很多汗，我还是挣扎着爬了起来，一个人摸索着走过黑暗的走廊，打开了卫生间里的电灯。

昏暗的灯光照亮了镜子，然后我往浴缸里倒了许多洗洁精，花了半个多小时才把它洗干净。幸好现在天热，我自己接了一个莲蓬头，用冷水冲了个澡。

我浑身湿漉漉地回到房间里，关了灯就栽倒在折叠床上。

122

在这暗夜的房间里，爬山虎的气味继续飘荡在我鼻孔边，如潮水一样充满了我全身，让我缓缓地下沉，一直沉到夜的深处。

不知过了多久，我从深深的黑夜中浮了起来，隐隐感觉折叠床的地板下，有某种轻微的颤动。我猛然睁开眼睛，在一团漆黑中缓缓爬起来，摸着墙壁走到了门口，屏住了呼吸侧耳倾听——

"笃……笃……笃……"

是的，我听到了那种声音，黑夜里幽灵般的脚步声，似乎正踏在底楼大厅的地板上，悠悠地飘荡在整栋老房子里。我轻轻地捂住了嘴巴，让自己不要被吓得叫出声来。

但那声音还在继续，似乎还带着某种奇怪的节奏，我的嘴唇微微颤抖着，默念道："舞会开始了？"

片刻之后，那脚步声似乎又飘浮到了楼梯上，声音也似乎随着楼梯又旋转起来。我站在黑暗的走廊里，眼前什么都看不到。

突然，一个白色的影子，从我眼前一掠而过。

"谁？"

我大叫了一声，飞快地向前奔去，那个影子似乎又向楼下退去。黑暗的楼道里我实在看不清楚，只能循着对方的脚步声，跟着跑下了旋转楼梯。

来不及开灯了，凭借着窗外微弱的月光，我在底楼大厅里，渐渐看清了那个细长的身影。我几乎就要追到了，那个影子却一闪躲到了大厅旁边的房间里。我继续追进去，终于伸手抓住了对方。

我抓住了一个年轻女子的手臂。

"放开我！"

小倩？我一下子愣住了，但黑暗中我看不清她的脸，只有紧紧地抓住她的手。我打开墙上的电灯开关，终于看见了小倩的眼睛，她的目光是那样惊恐、那样哀怜，就像一只被猎人捕获的小母鹿。

看着她的眼睛，我一句话都没有说，只是继续紧紧地抓着她。而她也渐渐平静了下来，直勾勾地盯着我的眼睛，仿佛是在与我对峙。

终于，我在她耳边说话了："小倩，你怎么会来这里？"

"我也想这么问你呢。"她长长地吐出了一口气,"刚才,我还以为是一个幽灵在追我呢,原来是你啊。"

"幽灵?你说这房子里真的有幽灵吗?"我抬起头看着这个大房间,墙上镶嵌着一个大壁炉,正是当年欧阳家拍全家福照片的地方。

"不知道,但愿没有吧。"

我拉着她的手,走出了这个房间:"我们上楼去吧。"

小倩穿着一条白色的裙子,当她穿过大厅的时候,就好像一个白色的影子在翩翩起舞。踏上旋转楼梯,我领着她来到了"我的"房间。她惊讶地说:"你搬到这里住了?"

"是的,留给我的时间只有十天,我必须在这栋房子被拆掉前,查出荒村的秘密。"

"不惜任何代价?"

"对,不惜任何代价。"我斩钉截铁地重复了她的话。然后,我看了看时间,现在是凌晨四点钟,"那你呢,小倩?为什么在半夜里出现在这里?"

她避开我的目光说:"我做了一个噩梦。"

"噩梦?"深更半夜听到这个词,我心里有些害怕,"你梦见了谁?"

"我梦见了你。"

小倩怔怔地看着我的眼睛,吓得我后退了一步,哆嗦着说:"你是说,我出现在了你的噩梦里?"

"没错。"

我心里暗暗自嘲说:那我不成了怪兽了吗?

她微微点头,继续说下去:"我梦见你半夜里梦游了……一个人走到马路上……在黑夜里走啊走啊……一直走到这条废墟般的安息路上……你悄无声息地走进荒村公寓……面对着一面镜子……"

突然,她的话戛然而止。我惊出了一身冷汗,催促道:"后来怎么了?"

"后来……我就醒了。"她不停地喘息着,胸口一起一伏,背靠着墙说,"我实在放心不下,再也睡不下去了,于是就跑了过来。"

"你胆子也太大了，一个年轻女孩子，半夜里走到这种地方，万一遇到坏人怎么办？你家里人一定担心死了。"

小倩撇了撇嘴，冷冷地回答："我没有家人。"

我摇着头笑了笑说："难道你真是《聊斋》里的聂小倩？"

"是又怎么样？"

"别说气话了，我送你回家吧。"

"我没有家。"小倩的语气终于柔和下来，声音里带着几分哀伤，幽幽地念着，"我没有家……我没有家……"

她的表情越来越困倦，渐渐地闭上了眼睛说："我好累啊。"

可我这房间里连椅子都没有，我只能扶着她坐到折叠床上。她的身体一下子变得软软的，我想她一定是困极了，毕竟深更半夜不睡觉，谁也吃不消。

我把小倩平放到了折叠床上，还给她盖上了一条毯子。她很快就睡着了，表情又恢复了安逸，几缕发丝贴在额头，像童话里的睡美人。

晚安——我关掉了电灯，轻轻地退出房间，帮她把门关好。然后，我走下旋转楼梯，从后门走出了荒村公寓。

尽管我自己也困得不得了，但一阵冷冷的夜风吹来，让我睡意全消。我在周围的拆迁工地上转了一圈，一直走到安息路上。从这里回头望着荒村公寓，这栋被黑暗笼罩着的孤独的老房子——如同特兰西瓦尼亚荒原上的德库拉古堡。

现在是凌晨四点二十分，这个故事的第十八天。

在天亮前的两个小时中，我在安息路附近的几条街上转了转。我来到小时候住过的老房子——不，现在只能算是遗址了——踏上这片瓦砾和废墟，我试图在残破的砖块中寻找着什么，是童年时的玩具，还是被遗忘的旧照片？或者仅仅是记忆。

清晨六点，阳光斜射到了我的身上，我又回到了安息路 13 号，穿过满目疮痍的废墟，走进了晨曦中的荒村公寓。

我想小倩一定还在熟睡吧，便蹑手蹑脚地走到楼上，轻轻推开了房门。然而，房间里却空空如也，毯子已经叠好放在床上了。我愣了几秒钟，然后飞快地跑出房间，在楼梯口大声地叫着小倩，但没有她的回应——看来她已经离开荒村公寓了。

趴在窗户上，我深深吸了一口气，感觉这个房间里，似乎还残留着她的气息。于是，一阵困意又涌上来，我一下子躺倒在了折叠床上，脸朝下闭着眼睛，贪婪地呼吸着床上的气味。

小倩残留的气息涌进我的身体，使我立刻感到一阵眩晕，似乎有一只手盖住了我的眼睛，让我渐渐地沉入黑暗中。

直到中午时分，我才悠悠地醒来，洗漱后在房间里吃了早餐。然后，我开始整理带来的东西，除了一些书和衣服以外，还有一个大箱子。

我小心翼翼地把箱子打开，里面塞着许多旧报纸团。我慢慢地把手伸进纸团中，抓出了一块圆盘形的玉器。柔和的阳光从窗口照射进来，这块玉器反射出某种奇异的白光。我又摸出了第二件玉器，看起来像个斧头；第三件玉器像个大笔筒；第四件玉器像只小乌龟；第五件玉器则像是一把玉匕首。

这些神秘的玉器来自荒村，是苏天平从进士第底下的地宫里偷出来的，而他又在失踪前的一天，把这些玉器交给了我。

不知这些东西是不是真家伙，也不知它们是什么年代的，我甚至不知道它们的作用。但它们来自那神秘的地宫，很可能与荒村的秘密有着某种特殊的关系。所以，我必须要把这些玉器搞清楚。

于是，我想到了一个朋友，他的名字叫孙子楚。

我把所有玉器又放回箱子里，然后拎着箱子走出了荒村公寓。

一小时后，我又一次来到霍强他们的大学。在最近的几周内，我已来过这个校园好几次，差不多都熟门熟路了。我很快就来到了历史系的教学楼，找到了孙子楚的办公室。

孙子楚就是这所大学历史系的老师，他的年龄只比我大三岁，下巴上却留着一撮黑色的短须。年轻的男老师总能吸引女学生的眼球，我走进他办公室的时候，几个小女生正围着他说话呢。不过，当他发现我站在门口时，立刻恢复了一本正经的表情，站起来把那些女生都送走了。

房间里没有旁人了，他的表情又夸张起来："嗨，好几个月没见了。我看到你四月份发表的《荒村》了，你的'粉丝'可不少啊，这两天又在忙什么？"

我可是一点都笑不起来。还记得这个故事的第一天，霍强他们四个大学生来找我，我问他们是如何知道我的地址的，霍强说出了一个名字，这个名字就是——孙子楚。

"你说的'粉丝'叫霍强吧？还有韩小枫、苏天平和春雨。"

"这个嘛……"孙子楚的表情一下子变得尴尬起来，"你不会是为这件事来找我的吧？"

"不仅仅是这件事。"

他无奈地点了点头："好吧，我承认，是我把你的地址告诉了他们。本来我也不想说出去的，可他们死缠烂打，我实在是被逼无奈啊。"

"是经受不住漂亮女生的考验吧？"

孙子楚扑哧一声笑了出来："你可别乱说啊，再怎么样我也是大学老师。而且，人家年轻女生要拜访你，也是一件好事嘛。"

说完，他又嘿嘿地笑了出来。这回我真的是忍无可忍了："你是真不知道还是在装傻啊？那四个大学生中，已经死了两个，疯了一个，还有一个下落不明！"

现在他再也笑不出来了，呆呆地说："你没开玩笑吧？"

"当然不是。"

然后，我跳过了那四个大学生在荒村的细节，单说他们回到上海以后，霍强和韩小枫相继死去的情况。等我说完以后，孙子楚额头上的汗珠也冒出来了，他哆嗦着说："我只听说在几天前，有两个学生死在了自己寝室里，可没想到是霍强他们。他们本来就不是我的学生，只是听过我讲的课而已，所以我根本就不知道。"

"算了吧。"我摇着头，长出了一口气，"其实，今天我来找你，并不是为这件事，而是请你帮我看一些东西。"

说完，我打开那个大箱子，从报纸团中取出那五件玉器，小心翼翼地放在孙子楚面前。

看到这些来自荒村的玉器，孙子楚显然吃了一惊，他连忙抓起其中一个仔细看了看。十几秒钟以后，他的脸色忽然变了，拿着玉器的手不停地发抖。他连忙又拿起一个放大镜，仔细地照了照玉器上的花纹，而眼神也越来越怪异了。

突然，孙子楚放下玉器，幽幽地说："这些东西是从哪儿来的？"

我并不想告诉他实情，我怕荒村的秘密会让更多的人知道，所以只是淡淡地回答："这你就不要多问了，总之它们都来自于地下。"

孙子楚又看了看其他几件玉器，点了点头说："你知道这些玉器有多古老？"

我从来不敢随便猜测，只能摇了摇头。

他冷冷地说出了一个数字——

"五千年。"

什么？我的心里又像是被狠狠撞了一下，嘴里喃喃地念出声来："五千年？"我连忙摇了摇头说，"不可能，你不会看错了吧，怎么会有这么古老呢？中国历史都没五千年呢。"

然而，孙子楚却异常冷静："你有没有听说过良渚文明？"

"良渚文明？我看过些报道，江南古老而神秘的良渚文明，是吗？"

"不错，所谓良渚文明或良渚文化，因一九三六年首先发现于浙江余杭的良渚镇而得名，是中国长江中下游最重要的史前文明，也是东亚早期文明的主要源头之一。根据考古学碳 –14 测定，其年代距今大约有五千三百年到四千年。现代发现的良渚文化遗址，大多散布于江南一带，上海近郊的青浦福泉山遗址就属于良渚文化之列。"

"那和这些玉器又有什么关系呢？"

"良渚文明最大的特色就是玉器。尽管良渚文明距今有五千年的历史，但他们创造了高度发达的玉器文明，在人类早期文明史中占有重要的地位。"

我忽然怔怔地问道："玉器文明？"

"对，中国文明的重要特征就是玉器文明，有着长达七千年的历史，也遥遥领先于其他拥有玉器文明的民族，比如古代美洲人与大洋洲毛利人。玉器对于古代中国人而言，具有极其崇高的地位，甚至认为玉器拥有神秘的超自然力量。无论是先秦的圣贤，还是汉唐的帝王，都对玉器情有独钟。"

"那么它们呢？"我指着那五件玉器问道。

孙子楚抓起了那件圆盘形的玉器说："这件东西叫玉璧。你看它是不是圆形薄饼状？中部还有一个小孔。学术界将边宽大致为孔径两倍以上的称为玉璧。良渚文化的玉璧一般都比较大，大多随墓葬出土，有人甚至认为良渚玉璧是种原始货币，你看它的形状像不像放大的铜钱？"

我点点头。这件玉璧的内孔是方的，正应了"孔方兄"的天圆地方。

孙子楚又指着那把斧头似的家伙说："这件东西叫玉钺。"

"我明白了，斧和钺是同一类的武器。"

"不过，良渚文化的玉钺是一种非实用的礼器，一般代表主人的武力和权力。"随后，孙子楚又拿起了那个大笔筒似的玉器说，"这个东西是最有名的，名叫玉琮。"

"玉琮？我好像在上海博物馆看到过。"

"对，玉琮在良渚玉器中体积最大，制作也最为精致。琮的形状大多是外方内圆，琮体上大下小，有的还分层分节。所有出土的良渚玉琮都有复杂的雕刻和纹饰，其主题大多是兽面和神人像。"

我立刻盯着手中的玉琮看，果然有许多精致的花纹，像是某种张开血盆大口的怪兽，我摸着玉琮问道："它又是派什么用场的呢？"

"玉琮源于良渚文明的宗教巫术，是天上神权的象征。凡是出土玉琮的墓葬，其墓主人都是手握神权的大人物，可能既是国王也是大巫师。可以说是玉琮决定了良渚古国的盛衰，就好像古埃及的太阳神殿。"

"真有那么玄吗？"

说到了他主攻的专业，孙子楚越说越有劲儿了："这些可都是学术界公认的事实，绝不是我的一家之言。至于剩下的那两件小东西，都是当时良渚人随身佩戴的玉饰物。"

我看着玉乌龟和玉匕首，只能点了点头说："你能确定这五件良渚玉器都是真的吗？"

"现在，我只能说这五件玉器的形制，和已经出土的良渚玉器属于同一类型，无论从用料还是雕琢，都有鲜明的良渚玉器的特点。"但他又停顿了片刻，沉声道，"不过，良渚玉器都属于出土古玉，鉴别起来非常复杂。主要一看包浆，二看沁色，三看器形及制作特征，最后才有断代的必要。我主要是研究历史的，对于玉石鉴定并不内行。"

"说了半天，你自己也不能确定吗？"

孙子楚皱起眉头想了想说："如果你信得过我这个朋友的话，可以把这些玉器放在我这里，我会邀请最好的古玉鉴定专家，为你鉴定这些玉器的真伪和年代。"

他的建议让我犹豫起来，毕竟这些东西来之不易，是苏天平冒着生命危险换来的。我抓着那把玉匕首低头沉吟了许久，终于我点了点头说："好吧，暂时放在你这里，但你千万不能把它们弄丢了。"

"放心吧，我自己就是搞这个的，怎么可能弄坏呢？"说着，孙子楚开始小心地收拾那些玉器。我拍了拍他的肩膀说："如果消息一出来，就立刻把这些东西还给我。"

"那当然了，这些玉器都是你的宝贝嘛。"

我忽然苦笑了一声说："好吧，我走了，你做你的事吧。"

离开孙子楚的办公室，我一路小跑着冲出了校园，也许我再也不想来这里了。

为什么要把玉器交给孙子楚？因为，如果这些来自荒村的神秘玉器，真的是五千年前的良渚古玉的话，那么荒村一定和良渚文明有着某种联系。或许，古老神秘的良渚文明，也是打开荒村秘密的一把钥匙？虽然这只是我的猜测，但我愿意试一试。

当我回到荒村公寓时，夜色已经笼罩上海了。我摸黑从后门进入老房子，回到了二楼房间里。这时我的肚子已经饿得不行了，赶快用微波炉炒饭解决了晚餐。

晚饭后我依然站在窗口，爬山虎的气味扑鼻而来，但我心里却总想着那些玉器——它们都来自荒村的地下，也许已经有五千年的历史了，玉璧、玉钺、玉琮……

突然，我想起我还漏了一样东西——玉指环！

就是那枚在荒村的地下密室中，被春雨偷出来的玉指环！我急忙打开了简易柜子，总算找出了那枚玉指环。

我小心翼翼地捧起玉指环，在老房子昏暗的灯光下，青绿色的玉体呈现出半透明的光泽，就像是一颗碧绿的眼球。

但在玉指环的一侧，深深地嵌着一块腥红色的污迹，在晶莹的绿色玉体中格外刺眼。我将玉指环放到了鼻孔前，用力地嗅了嗅，一股淡淡的腥味飘入鼻腔，让人产生一种恶心的感觉。

心跳立刻又加快了。我缓缓地把玉指环举过头顶，将它对准灯光的方向。柔和的灯光穿过半透明的玉体，指环里似乎有一些奇怪的花纹在透光中宛如蛇游。只有在红色污迹的部分，光线才无法穿透它，把里面的秘密遮挡了起来。

最后，我放下了玉指环，心里暗暗地想着：它也是良渚文明的玉指环吗？如果它是的话，那么在五千年前的史前时代，这枚玉指环究竟戴在谁的手指上呢？

也许是出于下意识，我伸出了自己左手的无名指。我看着自己的手指对着玉指环，心里竟有一股奇妙的冲动。忽然，脑子里一片空白，右手仿佛失去了自制，不由自主地抓起了玉指环——

不，我完全失去了控制，眼睁睁地看着这枚玉指环，缓缓地套上了左手无名指。

但是，我没想到这枚玉指环是那样紧。当它套上我的第一指节时，一股冰凉的感觉就透过手指传遍了全身，指节和指甲都火辣辣地疼了起来。但玉指环很快就下到了第二指节，我的指骨感到了一阵奇怪的压力。最后，当玉指环来到第三指节，也就是无名指的最下部时，那股压力和痛楚却突然消失了。

我已经戴上了玉指环。

就在这个瞬间，我似乎听到了一个幽幽的声音，正轻轻地呼唤着我的名字。我立刻惊慌失措地回过头来，大声地叫道："你是谁？"

然而，房间里只有我一个人，偌大的荒村公寓里传来我空旷的回音。看着戴在手指上的玉指环，我的脸色都变了，难道刚才那个声音来自玉指环？

不，不可能，这只是我的幻想而已！虽然我连连摇头，可左手无名指上却是一阵冰凉，就连手上的汗毛也都竖了起来。我赶紧把左手举到眼前，玉指环正紧紧缠绕着我的无名指，就好像一节绿色的指骨。指环上那块腥红色的污迹，现在却特别醒目，正好面向我手背的正上方，就像在戒指上镶嵌了一块红宝石似的。

我又把手指伸到了远处看着，越看心里越不舒服，就好像戴着一个奇怪的标记似的。不知是因为心理作用，还是古老的玉指环寒气太重，我感到自己正不断地冒着冷汗。

不行，我不能戴着这枚玉指环。它带有一股奇怪的邪气，让我浑身上下不舒服。我连忙伸出了右手，要把玉指环从左手手指上脱下来。然而，玉指环牢牢地套在我的手指上，无论如何用力地拔它，它始终都纹丝不动。

更要命的是，在我用力拔玉指环时，真真切切地感到自己的左手无名指被一股暗暗的力道压迫着，套在上面的玉指环竟越收越紧，渐渐嵌进了皮肤里。我的手指一阵麻木，这枚古老的玉指环，仿佛已变成了有生命的活物，伸出吸盘紧紧吸附着我的皮肤，似乎要把我的无名指吞噬下去。

足足花了半个多小时，我用尽了全身的力气，但还是没有把玉指环拔下来。它身上那块腥红色的污迹，挑衅般地面对着我，死死地缠绕着我的手指，似乎已在我的肌肉里生根了。

终于，我气喘吁吁地松开沾满了汗水的手，看着这枚戴在自己左手无名指上，现在却怎么也脱不下来的玉指环——我已经不寒而栗了。

我的左手在不停地颤抖着，但那种痛楚的感觉却渐渐消失了。然而，当我再度伸手想要拔下玉指环时，它又一下子变得紧了，死死地卡在指节上，仿佛能够自动伸缩似的。

忽然，我想到了过去妈妈教过的办法：当戒指或是手镯脱不下来时，在上面抹一些油，就可以把它脱下来了。

于是，我找出了几瓶带过来的油，将这些油倒在了手指上，很快油就浸透了手指和玉指环。我在手指上摸了摸，果然是滑溜溜的。我想玉指环已经被油充分润滑了吧，便用右手捂着一块抹布，牢牢地抓住玉指环，然后用力往外拔。

然而，玉指环似乎是受到了油的刺激，更加紧迫地嵌在我的手指上，越是用尽了力气拔，我的手指越是感到钻心的疼痛，仿佛在拔我自己的骨头似的。最后，折腾了十几分钟，倒了整整半瓶油，玉指环依然牢牢地戴在我的手指上，它那块腥红的污迹像是对我的嘲笑。

现在该怎么办？我几乎绝望了，甩着左手在房间里来回踱着步。我感到深深的后悔，为什么刚才像着了魔一样，竟不由自主地戴上了玉指环！这已不仅仅是一时冲动了，而是某种奇怪的意念驱使着我。可是谁又会想到，一旦戴上这枚神秘的玉指环，就再也无法把它拔下来了，就像生了根似的"长"在了手指上。

筋疲力尽以后，我沮丧地躺倒在了床上，再也感觉不到疼痛了，仿佛只是手指上生了块赘肉似的。现在，我再也不敢拔它了，只企盼着明天早上醒来时，玉指环会自动从手指上脱落。

在床上呆坐了半晌，我已经昏昏欲睡了，看着自己手上的油，还有身上那么多汗水，我想我该去洗洗了。于是，我只能戴着玉指环走出房间，来到了卫生间里。

我怔怔地看着镜子里的自己，手指上的玉指环分外显眼，我觉得自己戴着玉指环的样子，像是来自另一个古老时空。

我打开了水龙头，把双手伸到水池里，水流不断冲刷着我的手指，也冲过玉指环的表面，玉器在水中产生某种光线的折射，我也感觉舒服了一些。终于，所有的油腻都洗干净了，在经历了油和水的洗礼后，玉指环显得更加鲜艳，青绿色的身体也更加晶莹透彻，而那块腥红色的污迹则显得更深了，就像是一块丑陋的胎记。

　　然后，我在卫生间里用电热水壶烧水，顺便用莲蓬头简单地冲了一个澡。当热水烧好以后，我又把头浸在水槽里用热水洗头，玉指环似乎也不怕热水，手指上的不适感也差不多消失了。总算把一天的汗水都洗干净了，我站在镜子前擦着头发，热腾腾的水蒸气弥漫在卫生间里，使镜面上蒙了一层水雾。

　　我看着朦朦胧胧的镜子，里面只照出我模糊的影子。忽然，我发现镜子里的影子是一动不动的，而我则在不停地动来动去擦拭身体。

　　镜子里的人是我吗？

　　瞬间，我后背的汗毛竖了起来。我往后退了几步，又向左右摇晃了几下，但镜子里的人影依旧挺身不动。

　　我颤抖着盯着镜子不由自主地往后倒退，蒙在镜面上的那层水雾，却使我怎么也看不清镜子里的脸。

　　我惊慌地打开了水龙头，把许多冷水泼到了镜面上。水流如瀑布般淌下，冲刷着镜面上的雾气，渐渐露出了几道空隙……

　　——镜子里是一个女子的身影。

　　我当即吓得哑口无言。没错，那是一个年轻女子的身影，镜子里分明显示出一头长长的黑发，还有纤细的肩膀和腰肢……

　　然而，我看不清她的脸，镜面上有一团水雾没有被冲散，正好遮挡住了她的眼睛。

　　恐惧到了极点，也就忘掉了恐惧——我连忙屏住呼吸，又把许多水泼到了镜面上，更多的水流将雾气冲散，终于可以看清楚镜子了。

　　然而，那个女子却突然消失了，镜子里依然是我的脸。

　　我惊慌失措地看着四周，确定卫生间里并没有其他人。然后我摸了摸自己的脸，镜子里的我准确地重复着我的动作。

刚才是怎么回事？我看着这面荒村公寓的镜子，百思不得其解，难道又是幻觉？我摇摇头，只能自我嘲讽地说："怪不得黑夜里的镜子，总是一切恐怖片必备的元素。"

忽然，我又想起了几十年前，那些生活在荒村公寓里的人，包括欧阳家族的男男女女，想必他们也曾在这面镜子前，留下过自己的身影和脸庞，留下过幸福和悲伤……

这时，我举起了自己的左手，玉指环正反射着幽幽的光芒。

我匆匆地离开卫生间，回到了自己房间里。手指上戴着这枚来自荒村的玉指环，就像戴着一副镣铐似的，我感觉自己什么都不敢做了。

随后，我关掉了电灯，躺在被黑暗笼罩的床上，轻轻抚摸着左手无名指上的玉指环，它似乎也随着我一起呼吸着，渐渐沉入了恐惧的睡梦中……

第十九天

上午醒来时，玉指环依然戴在我的手指上，我轻轻地摸了摸它，还是和昨天晚上一样，像长在我肉里似的纹丝不动。

窗外传来一阵隆隆的机器声，我不再动玉指环了，走到爬满藤蔓的窗前，只见在窗外的拆迁工地上，几辆推土机正在清理着残垣断壁，尘土和碎石高高地扬起，仿佛是一场大轰炸，我连忙把窗户关了起来。

在房间里吃完早餐后，我走到了楼梯口，忽然抬头往上看了看。哎，我真是傻了，住进荒村公寓已经第三天了，可我还从来没有去三楼看过。头顶的旋转楼梯黑洞洞的，透着一股幽幽的气息，我在栏杆边靠了许久，终于缓缓地走了上去。

我戴了一副大口罩，因为每走一步都会扬起灰尘。我小心翼翼地转上楼梯，来到三楼的走廊口。我在墙上摸了一会儿，好不容易才打开电灯。昏黄的灯光下，一道幽深的走廊通往前方，感觉像是地宫的甬道。

灰尘过了许久才沉寂下来，我下意识地摸了摸玉指环，便向走廊里闯去。我打开了第一扇房门。和二楼的房间一样，里面空空荡荡什么都没有，惟一的不同是爬山虎比楼下更茂盛，绿色的藤蔓从窗口爬进了房间，靠窗的一面墙上摇曳着许多枝叶，这些植物根须甚至已钻进了墙体内，墙面和天花板上都有许多道裂缝，看来这栋房子离死亡不远了。

三楼的其他房间也都差不多，我一间一间地打开来看，在阳光充足的房间里，爬山虎甚至生长到了地板上。我想它们那无孔不入的根须，一定也布满了楼下房间的天花板。不过，这栋房子那么多年都没有人住，被这些植物占领也是很自然的。

我打开了三楼最后一个房间，还是什么东西都没有。然而，正当我要离开时，却发现脚下有许多石灰粉和碎木板。我缓缓抬起头来，才发现头上的天花板掉了一大块，露出了一个很大的窟窿，里面还透出许多光亮来。我好奇地走到窟窿底下，踮起脚往上面看了看，发现天花板上面还有很大的空间，似乎是个阁楼。

这个意外的发现，立刻给了我很大的想像，我冲出房间，一口气跑到了底楼。我记得在后门的走廊里，似乎还有一架竹梯子。果然，我在那堆杂物中发现了竹梯。

我扛着那架竹梯，气喘吁吁地回到了三楼的房间里。我摘掉了厚厚的口罩，把梯子架在天花板的窟窿下面，然后小心翼翼地爬了上去。

当我的头伸出天花板后，我看到了斜斜的屋顶，正中的房梁，还有两排老虎窗。终于，我吃力地爬了上去，果然是一个阁楼，起码有三十多平方米。

阳光从老虎窗照射进来，因为被窗口的藤蔓遮住了，阁楼里只照进几缕稀疏的阳光。小时候我家的老房子，也有这种老虎窗。我趴到窗口上，望着下面的大片工地，还有远处的无数高楼。这里应该是荒村公寓最高的地方了，窗下是一排排黑色的瓦片，上面也爬满了茂盛的藤蔓，我想整个房顶上全是爬山虎吧。这里的窗户一直都紧闭着，窗玻璃上全是爬山虎的叶子，看着穿过叶子缝隙的阳光，感觉像是在森林里。

离开老虎窗，我仔细地环视了阁楼一圈，显然这里已经尘封多年，感觉就像是个刚被打开的古墓。在阁楼的一角，我发现了一个老式衣橱。虽然蒙着厚厚的灰尘，但能看出这衣橱用的是上等木料，在当时也算是高档家具了。

我轻轻拉开衣橱大门，一阵浓烈的陈腐味道涌了出来。我扭过头等了几分钟，那股气味才渐渐变淡了。

我眯着眼睛向衣橱里看去——衣橱里竟吊着几具干瘦的死尸！

我立刻倒在了地上，额头上全都是冷汗，差点就大声叫了出来。我又看了看手上的玉指环，那块腥红色的污迹愈加显眼了。

但是，当我重新站起来时，才发现衣橱里根本就没有死人，只是挂满了衣服而已。谢天谢地，我长长地吁出了一口气，原来刚才是我看错了。那些旧衣服吊在衣橱里，在昏暗的光线里乍一看，就好像吊着几个死人似的。

衣橱里的衣服既有男装也有女装，黑色和白色的西服，下面还连着西裤，红色和蓝色的旗袍，几件黑色的毛皮大衣，一个五十多年前的家庭衣橱赫然呈现在我眼前。我伸出手摸了摸衣服，全都已经发脆了，一股霉味又涌了出来，有件西服的下摆还被虫蛀了个大洞。

我连忙掩着鼻子后退一步，关上了衣橱的大门。那是欧阳家的人穿过的衣服吧？想到这里我忽然有些恶心，便向阁楼另一端走去。

这时，我才发现在这边的地板上，也有一个向下的暗门，只是现在底下是悬空的，当初应该有一个扶梯的。但即便如此，把那么大的衣橱搬上来也还是不容易。

阁楼这端还有一个梳妆台，但上面的镜子早已经破碎了，只剩下一个椭圆形的木框，后面发黄的木板裸露着。我想当初荒村公寓的女主人，应该就是坐在这面镜子前梳妆打扮的吧。

我拉开梳妆台下面的第一个抽屉，发现里面堆着许多旧照片。闻到这些照片的霉烂味，我的眼睛亮起来，立刻把它们全都摊在台子上面。

接下来的十几分钟里，我始终都屏着呼吸，默默地看着这些照片。随着几十年前的黑白影像，那些曾经生活在这栋房子里的人，似乎又都活生生地出现了。

第一张照片，是一个年轻的女子，她的身体倚靠着窗户，似乎在眺望着外面的天空。她穿着一件毛衣，微微烫过的发卷散在耳边，脸庞清爽而细致，再加上黑白影像的渲染，仿佛就是四十年代月份牌里的上海美人。但更让人着迷的是她的眼睛，在那柔和的眼线里，是一双淡淡哀伤的目光，正凝视着窗外灰蒙蒙的天空。看着照片里她凭窗而立的样子，感觉就像是一只被囚禁的鸟，渴望窗外天空的自由——我记得她的脸，在欧阳家全家福的照片里。

第二张照片，是一对年轻夫妇的结婚照，新娘就是刚才看到的她，而新郎也在那张全家福里看到过。从这张照片上看，他们还真的挺般配的，新郎穿着一套西服，身材挺拔地站着。新娘穿着一件洁白的婚纱，长长的裙摆一直拖到地上，她的一只手被新郎挽着，嘴角露出一丝淡淡的微笑，这是身为新娘子的幸福，还是对自己最美一刻的留恋呢？反正我也问不到她。

第三张照片，她正在低着头读书，仿佛在沉思着什么。照片的背景就是这张梳妆台，在后面椭圆形的镜子里，也能看到她的样子。但奇怪的是，镜子里似乎还照出了一个人，但照片的光线不足，我看不清那个人的样子，但可以确定那个人所处的角度，绝不是照片的拍摄者。

后面还有十几张照片，全都是在这栋房子里的日常生活场景，出现的人物也只有那对年轻的夫妇。只有最后一张照片，是欧阳家在荒村公寓的全家福，和韩小枫从荒村带来的那张照片一模一样，应该是从同一张底片里冲印出来的。只是奇怪的是，他们居然没有一张室外的照片，全都是在这栋房子里拍的。他们的表情大多也很沉默，极少见到有笑脸的照片，而那年轻的妻子，更多的则是淡淡忧伤的目光。

全部看完以后，我把这些照片全都放回到了抽屉里。然后，我拉开了第二个抽屉，发现里面有两本旧书。我把书拿出来一看，首先注意到了一个名字——张爱玲。

原来是张爱玲的书，一本《传奇》，还有一本《流言》，分别是一九四四年和一九四五年印刷的版本。《传奇》是张爱玲的小说集，《流言》则是散文集，没想到荒村公寓里还曾经有过一个"张迷"。我想这两本书，应该是年轻的妻子在出嫁之前买的吧。我随手翻了一翻《传奇》，又是一股霉味扑鼻而来。忽然，我翻到了一枚书签，其实不过是一张小卡片，上面用钢笔写着几个字——"生命是一袭华丽的袍子，上面爬满了虱子"。

这几行字纤细娟秀，一看就知出于女子的手笔，下面还有一行落款——"若云　记于民国三十七年四月一日"。

现在我终于知道了——她的名字叫若云。

至于"生命是一袭华丽的袍子，上面爬满了虱子"，则是张爱玲说过的话，一定是若云对这句话很有感触，便在书签上把它记录了下来。

而这枚小小的书签，正好插在《金锁记》这篇小说的最后一页。

为什么要插在《金锁记》里呢？我轻抚着书页想了片刻，或许若云在担心自己的命运，会不会成为又一个曹七巧呢？就像《金锁记》里写的那样，青春少女曹七巧嫁入大户人家，就如小鸟被关进笼中，从此以后注定要蹉跎一生。

算了吧，女孩子的心思是猜不透的，更别说五十多年前的若云了，我轻叹了一声，把这两本书都放回到了抽屉里。

在梳妆台底下还有一个小抽屉，我打开来一看，却发现里面是一些小化妆品,有唇膏、粉底、香水,还有一些我不认识的小玩意儿。我还是第一次见到五十多年前的唇膏的样子,只是里面早就干了。不过,只要想像这个小东西曾经涂抹在若云的嘴唇上,心里就会有一种别样的感觉,是怀旧还是惆怅?

最后,我还是关上抽屉。环视了阁楼一圈后,踩着梯子下去了。

回到三楼的房间,我还是把竹梯放在天花板底下,然后匆匆地走下了楼梯。午饭还是微波炉食品,吃完后我躺在折叠床上,翻了翻我带来的几本书。午后的空气闷热异常,房间里一丝风都没有,我只感到眼皮沉沉的,浑身上下一点力气都没有。

我看了看自己手上的玉指环,就好像长了个肉瘤似的,心里忍不住又狂跳了几下——不知道它会在我的手指上戴多久?难道一旦戴上永远都拿不下来了?想到这里我闭上了眼睛,颤抖着躺倒在床上,不一会儿就睡着了。

傍晚六点,我才悠悠地醒来,随便弄了点晚饭满足了食欲,然后就坐在房间里发愣。到今天为止,荒村公寓的三层楼我都看过了,我不知道自己还能在这里发现什么。也许我先前的猜测全错了,这栋老房子和荒村的秘密没有任何关系?而我却平白无故地在手指上多了样累赘。

正在胡思乱想的时候,忽然听到楼下传来一些轻微的声音,透过楼板在整栋房子里飘荡着。瞬间,我的心跳又加快了,只听到底楼"笃……笃……笃"的声音传来。我小心翼翼地走了出去,穿过黑暗笼罩中的走廊,站在旋转楼梯口向下看去。

有一个黑色的影子,正踩着楼梯旋转而上。

我立刻屏住呼吸,等脚步声来到身前时,一把抓住了对方。

"是我!"

一个女子的声音在我耳边响起,我连忙将她的手放开,打开了墙边的电灯。

果然是小倩,她穿着一条黑色的短裙,蹙着眉毛靠在墙边,刚才她显然被我吓了一跳。她不停地喘着气,胸口一起一伏,手里还拎着一个黑色的大箱子。

我长出了一口气说："你怎么又来了？"

"对不起，我吓了你一跳吧。"

小倩喃喃地说，一副楚楚可怜的样子，让我的不快立刻烟消云散。

"进去坐一会儿吧。"我帮她拎起了那只大箱子，带她来到我的房间里。

一走进屋子，她清澈的眼睛就不停地四处看着，想要说什么却又说不出来。我感到有些奇怪，试探着问道："小倩，怎么了？"

她缓缓地抬起头来，那双眼睛牢牢地盯着我，终于说出了话："对不起，我可以住在这里吗？"

"你说什么？住在这里？"她的问题让我很惊讶，更让我觉得尴尬。

"请千万不要误会。"小倩也显得很不好意思，她低着头说，"就算帮我一个忙吧，我感觉我已经无处可去，惟一能够住的地方，就只有这栋荒村公寓了。"

小倩的请求还是让我难以理解，她现在这副样子，突然让我想起了一部电影的名字——《无处藏身》。

我情不自禁地抓住她的肩膀问道："告诉我，到底发生了什么事？"

"你什么都不要问，我自己也不知道发生了什么，只是我的心里感觉……"她的话似乎触及到了什么，又被她生生地咽了回去。

"是不是和家里人吵架了？别任性了，快回到你父母身边去吧。"

然而，小倩却一反常态地大声地回答："不！我说过我没有家人，我也没有父母，我是一个没有家的人。"

"没有家？岂不就是孤魂野鬼了吗？"

这句话一说出口，我就后悔了。但是，我更没有想到小倩会这样回答我："你难道不知道我是谁吗？我是聂小倩啊。"

"《聊斋》里的美丽女鬼？"我使劲地摇着头说，"小倩，你是不是一直生活在你自己内心的世界里呢？也许这一切只是你的幻想而已。"

"你不要再问了，今晚我一定要住在这里，我已经决定了。"

说着，她打开了那只大箱子，从里面拿出了一些日常生活用品，还有几大包的快餐食品、一小袋大米，甚至还有一堆零食，看来她真是打算在这里"蹲点"了。

现在我算是彻底投降了，反正这房子本来就不属于我。所以，我也没有权力把她赶出去，我只能摇了摇头说："好吧，我随便你住哪里。不过，这房子过几天可就要拆了。"

小倩一边收拾着她的东西，一边干脆地回答："我知道。"

看她现在这副样子，好像一下子成了房子的主人，我傻傻地站在旁边，不知道该说什么才好。她抬起头向我微微一笑："对不起，今晚你能不能睡到楼上去?"

"楼上?"

我愣了一下，然后不由自主地点了点头，心里却有种说不出的滋味。小倩的嘴角微微一撇："谢谢你，我知道你是一个好人。"

可我心里却暗暗地说：就这么把我赶到楼上去了，让我和那些爬山虎睡在一起，今晚可惨了。

她来回走了几步。"从今晚起，我们就是楼上楼下的邻居了。"

居然只是做邻居，我有些泄气地说："行了，只能做几天的邻居。"

突然，小倩似乎发现了什么，她盯着我的左手说："你手指上是什么东西?"

我心里一惊，知道自己逃不过了，只能乖乖地向她举起了手。她盯着我的手指看了好一会儿，怔怔地说："我没见你戴过戒指。"

"这是一枚玉指环。"我的语气变得沉闷了起来，"它来自荒村。"

"荒村的玉指环？怎么戴到了你的手指上？"

"一言难尽啊。"

然后，我就把这枚玉指环的来历全都告诉了她，还有我戴上它就怎么也拔不下来的烦恼。

小倩颇感不可思议。她抓住了我的左手，摸了摸戴在我无名指上的玉指环。然后，她试着拔了拔指环，但玉指环立刻收缩了起来，疼得我几乎叫了出来。小倩显然被吓坏了，连忙放开了我的手。

"也许，秘密就在这枚玉指环里吧？"

"可我该怎么办呢？永远戴着它吗？"我烦躁地在房间里走了几圈，

最后靠着房门说，"算了吧，先挨过这几天再说吧。"

然后，我从墙角拿出了我带来的一卷草席和枕头，扛起它们就向外走去。小倩着急地跟在我后面问："你去哪儿?"

"你不是让我睡楼上吗?"走到一半，我又回过头来说，"今晚，你就睡在折叠床上吧，卫生间在走廊的最里面，有水龙头能够洗脸，不过没有热水。"

她的表情又有些尴尬了，低着头说："谢谢你。"

"睡个好觉，不要再做噩梦了，我可经不起你折腾。"我总算露出了一些笑容，"晚安吧。"

说着，我已经扛着草席、枕头走上了楼梯。

走上黑暗中的三楼，我推开了第一个房间，幸好头顶的电灯还能亮。这房间里充满了一股植物的气味，靠窗的墙上全是爬山虎的根须和叶子，凉凉的夜风从窗户外吹进来。我费了很大的力气，才把窗户重新关紧。然后，我又用了半个多小时，把这房间打扫了一下，清理了厚厚的落叶和灰尘。最后，我才把草席铺到了地板上。

这时我想起了楼下的小倩，反而不敢再下楼去了。夜深人静时，还是不要想入非非的为好。我索性关了电灯，躺在席子上睡了。

在这充满植物气味的房间里，身下是凉凉的草席，就像睡在黑夜的草地上。虽然闭着眼睛，但仍能感觉到那些爬山虎的藤蔓，它们悄无声息地生长着，向地板急速地伸展触须，就像一只只挣扎爬行的手。黑夜中的爬山虎不断吐出二氧化碳，席地而眠的我渐渐陷入了恍惚之中……

不知过了多久，几道光线照射在我的眼皮上，躲在眼皮下的瞳孔渐渐苏醒了过来。我缓缓睁开了眼睛。

也许是苏醒后的恍惚，我大口地喘息着，发现自己正躺在草席上，房间依然被黑夜所笼罩。而我脸上的光线，是从门外的走廊里照射进来的。

我挣扎着坐了起来，门外射进来的白光有些刺眼，而我的身体依然处于黑暗中。我使劲儿揉了揉眼睛，才适应了这道狭窄的光线，看到门外似乎站着一个黑影。

心跳骤然加快了，但我立刻让自己镇定下来，会不会又是做噩梦的小倩呢？我小心翼翼地从席子上站起来，尽量不弄出一点声音，悄悄地把头探出门外。

走廊里亮着一片柔和的光线，我发现了一个年轻女子的背影，正孤独地站在走廊中间。她穿的衣服很奇怪，我从来没有见过，但我还是轻轻地叫了一声："小倩？"

几乎同时，她缓缓地回过头来，光线一下子太亮了，我看不清她的脸。她开始向我这边走来，我忽然莫名其妙地紧张了起来，用手遮挡着头顶的灯光，终于看清楚了她的眼睛。

——她不是小倩。

一瞬间，我几乎叫了出来，但她似乎对我视若无睹，怔怔地朝走廊这边走来。这时我看清了她穿的衣服，居然是一条又厚又长的连衣裙，我从没见过这种样式的衣服，看起来实在太厚重了，在这个季节穿着它恐怕要热死了。她的脸庞是苍白而纤细的，美丽的眼睛直视着前方，如果不是在这种地方和这种时刻出现，她绝对是一个非常迷人的女子。

我颤抖着轻声问道："你是谁？"

但她没有丝毫反应，面无表情地从我身边穿过，似乎我根本就不存在。当她与我擦身而过的瞬间，我忽然想了起来——我见过她的脸——上午在顶层阁楼里，我发现了许多张旧照片，几乎每一张都有她的脸。

她的名字叫若云。

此刻我惊呆了，怔怔地看着她向楼梯口缓缓走去，柔和的光线如瀑布般笼罩着她，而她身后的墙壁依然在黑暗之中。

这怎么可能呢？在遥远的一九四八年，她就生活在这栋房子里。五十多年以后的今夜，她重新出现在荒村公寓三楼的走廊中，却依然是那样年轻，那样迷人，与当年照片里的她没有任何变化。

我究竟看到了什么？

她走下了楼梯，那团光线始终照射在她身上，而周围全是一片黑暗。她就好像舞台上的明星，全身笼罩在白色的聚光灯下，而其他所有人都在黑暗中看着她。

忍无可忍中，我打开了电灯，当灯光照亮我的眼睛时，她却一瞬间消失了。我惊慌失措地看了看四周，并没有任何异常情况。我又跑下了旋转楼梯，也没发现任何有人的迹象。

她到哪儿去了？

走到二楼的走廊口，看到小倩睡的房门正紧闭着，我想我不应该打扰她的好梦。我让自己重新放松下来，然后回到了三楼的房间里。

我在房门口站了好一会儿，看着墙上昏黄的电灯光线，与刚才那种奇异的光线完全不一样。那么照在若云身上的光线，又是从哪里来的呢？我怎么也想不明白，只能关了电灯，又躺到了草席上。

我在自己大腿上拧了一把，疼得几乎叫了起来。现在我能肯定了，刚才绝不是在做梦，我确实亲眼见到了若云——五十多年前住在这里的女人。

可我怎么会见到她呢？即便当年美丽的若云今天仍然健在，也应该是八十岁的老太太了。毫无疑问，刚才我所目睹的，是五十多年前的若云，还有她穿的那身衣服，也是那个时代才有的，难道我见到了幽灵？

想到这里，我又是一阵毛骨悚然，连忙闭上了眼睛，在心里默默地祈祷："黑夜啊，快点让我睡着吧。"

第二十天

或许是因为昨晚的"奇遇"，我直到上午十点才醒来，迷迷糊糊地睁开眼睛，第一眼就看到了小倩的眼睛，原来是她把我叫醒的。

我条件反射似的从席子上跳了起来，盯着她半天才清醒了过来，然后尴尬地笑了笑说："我现在的样子一定挺傻的吧？"

小倩也微微笑了笑说："不，你睡觉的样子挺有意思的。"

真丢人啊，刚才她一定站在我旁边，看着我睡觉的样子很久了。我再也不好意思说话了，便低着头跑了出去。

我匆匆来到楼下的卫生间，用最快的速度洗漱完毕。当我回到二楼房间里时，才发现小倩早已为我准备好了早餐，有大饼、油条，还有豆浆。

她淡淡地说："这是早上我出去买的，不知道你喜不喜欢吃？"

"当然喜欢了。"我立刻抓起了一根油条说，"小时候，我经常吃这样的早点，但长大后就很少吃了，我还真的很留恋油条的味道呢。"

不到几分钟，这顿早餐就被我吃光了，我顾不得满手的油，抹着嘴说："小倩，真没想到，你会给我买早饭吃。真谢谢你了。"

"这几天，你是不是天天都吃微波炉快餐？"

我搔了搔头回答："反正，反正就只有几天时间嘛。"

"天天都吃那种东西，对身体不太好，还是多吃点米饭吧。"

"好了，我明白了。"

这时，我忽然想到了昨天半夜里，见到的那个五十多年前的女子。可我该怎么对小倩说呢？她会相信我的话吗？如果她相信的话，岂不是要被这栋房子吓坏了吗？犹豫了片刻，我还是没有说出来。

"你在想什么？"

"没，没想什么。"我只能结结巴巴地说，"我在想，其实……其实你还是挺善解人意的。"

小倩突然笑了笑说："过去你是不是以为，我只是来骚扰你的无聊读者吧？"

"不，你是《聊斋》里的聂小倩嘛。"

"没错。"她倒是很自然地点了点头说，"好了，我现在要出去了，你

149

一个人在这里小心点。"

"出去？你是去冰淇淋店上班吧？"

她不置可否地看着我的眼睛，然后轻声说："再见，我晚上回来。"

不过，我还是紧追了出去，目送她离开了这栋房子。

回到二楼的房间，我不敢多看她留在这里的东西，一想到昨晚她就睡在这屋里，心里就莫名其妙地发毛。

不知为什么，小情说过的话我都记得很牢，中午我没有再吃微波炉食品，而是在外面的饭店里吃了一顿午饭。

下午，我没有在外面多停留，匆匆地回到了荒村公寓。当我刚刚来到二楼房间时，突然听到楼下传来一阵敲门声。

底楼的大门被敲得山响，似乎整栋房子都摇摇欲坠了起来。我连忙捂住乱跳的心口，把头伸出了窗外，发现楼下站着一个年轻的男人，他正在用力地敲着前面的大门。

忽然，那个男人抬起了头，我这才看清了他的脸——叶萧。

我吃了一惊，连忙大声地叫他。

叶萧也看到了我，他在下面说："快点给我开门！"

"前门封死了，你要从后门进来。"

说完，我立刻冲出了房间，跑到底楼去给他开门。果然，我在后门看到了叶萧，他显然对这老房子不太放心，小心翼翼地进入了走廊，摆出一副警察特有的架势，似乎随时都会有人袭击他。

我把他引到了底楼，指着宽敞的大厅说："叶萧，我领你参观参观吧。你看，这里就是欧阳家族当年跳舞的地方。"

叶萧冷冷地环视了一圈，面无表情地回答："这里的阴气太重了。"

"为什么你们都这么说呢？我想，可能是这房子太潮湿了吧。"

"等一等，你手指上是什么？"

他发现了我左手上的玉指环，我心里格登了一下，缓缓举起左手说："就是这个东西啊。前几天，我在路边的小摊上看到这个东西，觉得挺好玩的，就花十块钱买下来了。"

但叶萧还是盯着玉指环看了看，然后冷冷地说："这东西真不适合

150

戴在你的手指上。"

"呵呵。"我向叶萧傻笑了一下,然后带着他在底楼转了一圈。

我们走上了旋转楼梯,来到二楼的房间里。叶萧看了看折叠床和微波炉,轻声说:"其实,我是担心你才来这儿看看你的。你一个人住在这种鬼地方,我怎么放得下心呢。"

"你还把我当成小孩子吗?我能够照顾自己的。"

忽然,叶萧发现床下有一双女孩子的拖鞋,他的脸立刻板了起来,指着拖鞋问:"这是怎么回事?"

我的心一沉——糟了,我早该预料到了,小倩在这房间里留下的蛛丝马迹,怎么逃得过警官的眼睛呢?我有些尴尬地回答:"叶萧,这个嘛……这个……"

"这个女孩是谁?"叶萧直截了当地问。

不,我不能把小倩说出来,我只能轻声地说:"请别问了,这是我自己的私事。"

"我不会干涉你的私事的。但我提醒你,这里可是荒村公寓,不是你随心所欲的地方。"

完了,他竟然以为我在这里……不可以,我连忙解释道:"叶萧你误会了。我在这里可什么都没做。"

他扬起眉头笑了笑说:"算了吧,我不问了。"

忽然,我想起了一个至今仍然生死不明的人:"对了,苏天平有消息吗?"

"没有。学校至今还在到处找苏天平,但他就像消失于空气中一样,无论哪里都找不到他。"

"也许早就变成一具尸体了吧——不,我不该这么说,这样的话似乎太残忍了。"

"别再多想苏天平了。"叶萧走到窗边,看着外面的天空说,"其实,我今天来找你,还有另一个原因。"

我一下子又紧张了起来:"什么原因?"

"上次在电话里,你不是托我帮你查一查,荒村公寓过去的详细情况吗?"

"对,你查到了吗?"

叶萧点了点头说:"没错,这几天我查了许多历史档案,主要是一九四九年以前这一地区的房屋登记资料。昨天晚上,我总算查到了这栋房子——安息路 13 号在租界工部局的备案。"

"它建造于什么时间?"

"一九三〇年——当时安息路是上海租界有名的高级住宅区,马路两边修建了许多三层小洋房,这栋房子是由一个法国房地产商建造的,一开始并不叫荒村公寓,而是叫'卡罗琳别墅'。"

"卡罗琳别墅? 这名字真好听。"

"是的,当时是由一户法国侨民家庭居住,太平洋战争爆发后,日本人控制了上海租界,这户法国人被限制了自由,软禁在这栋房子里,不知什么原因全家人都自杀了,就吊死在二楼的房间里。"

"什么?"我抬起头看了看天花板,难道那户法国人就吊死在这个房间里?

叶萧也以幽幽的目光看着房间说:"那份档案上就是这么写的。抗战胜利以后,租界已不复存在,这栋房子的产权被一户中国人买下。档案显示那户人家复姓欧阳,是浙江某地的商人。"

"当然是荒村的欧阳家了,当年他们从事走私赚了很多钱,想必也一定在上海做着很大的生意,所以就在此地购买了这处房产。"

"是的,欧阳家买下了这栋卡罗琳别墅后,就将其改名为'荒村公寓',并在当时的有关部门作了登记注册。从荒村公寓的地契副本来看,欧阳家在这里总共住了三年多时间。到了一九四九年初,欧阳家又把这栋房子卖给了一个富商。但是,那富商还没来得及住进荒村公寓,自己就先暴病身亡了。"

我着急地问道:"从此以后,这栋房子就空关了起来,是吗?"

"后来,我又查了解放后的一些档案材料,才知道在六十年代,附近的居民曾经搬进来住过。那时候安息路一带的小洋房大多没有主人,很多就这样被附近的居民们强占了。但惟独这栋房子,发生了一些奇怪的事情……"叶萧忽然倒吸了一口凉气，皱着眉头说，"当时的档案记录不太全，据说在这栋房子里发生了命案，也查不出来到底是怎么回事。到了八十年代，那些居民就全都搬出来了，此后就没人再敢住进来了。"

忽然，我想起了昨天半夜的离奇遭遇，不禁自言自语地说："也许，荒村公寓里一直有闹鬼的传说吧，把附近的人家都吓着了，所以就一直都空关着了。"

"你说什么？闹鬼？"

我连忙低着头说："没什么，只是随便猜测而已。"

"不要再想入非非了。"叶萧来回地踱着步说，最后看着窗外说，"也许，是因为这房子里的空气太潮湿了吧，而且还长了那么多爬山虎，我听说这种植物对人体不是很好。"

"没关系，我想这几天我已经适应了。"

"那你接下来准备怎么办？"

"我不知道，也许还会在这里住几天，直到它被拆掉。"

叶萧失望地摇了摇头："我知道我改变不了你的决定，但你要好好照顾自己。我先走了。"说完，他拍了拍我的肩膀，便快步走出了房间。我一直把他送到了底楼的后门，叶萧向我挥了挥手说："有什么事就给我打电话，我随时会来帮你的。"

目送叶萧离开之后，我回到了楼上的房间。整个下午，我都无所事事，心里总想着叶萧对我说过的那些话……

比如，当荒村公寓还叫卡罗琳别墅时，住在这里的法国人全家在二楼上吊自杀。想到这里，我就会想像那些上吊用的绳子晃动的样子。还有六七十年代，许多人住进了这栋房子，却发生了一些离奇的命案，到底是为什么呢？

难道这真是一栋"凶宅"？而我是最后一个住进这"凶宅"的人，也许还要加上小倩。

不知不觉间，夜色已经匆匆降临了。我还是到外边吃了一顿晚饭，到晚上八点多才回到荒村公寓。整栋房子都沉浸在黑暗之中，经过几天与这房子的朝夕相处,我就算闭着眼睛也能认识上楼的路。我故意没有开灯,在漆黑的房子里摸索着,很快就爬上了旋转楼梯。

当我刚刚走到二楼房门口时,突然听到一阵放大的音乐声,如波浪般撞击到我的耳膜上。那声音是从楼下传来的,节奏震动着我脚下的楼板,似乎楼下在开一个演唱会。

哪儿来的声音?我的心立刻被悬了起来,又缓缓地走下旋转楼梯。

终于,我看见他们了——

舞会开始了。

不,我不敢相信自己的眼睛,但我确实看到了这一幕——在荒村公寓底楼的大厅里,突然之间灯火通明,十几对男男女女忽隐忽现,正在宽敞明亮的舞厅里翩翩起舞。男人大多穿着各色西装,也有几个穿着长衫,女人们多穿华丽的旗袍,或是时髦的裙子。

为他们伴奏的音乐,是从墙边那台留声机中传出的,我甚至能听清其中的歌词:"花样的年华,月样的精神,冰雪样的聪明,美丽的生活,多情的眷属……"

我听出来了,这是六十多年前的歌《花样的年华》,甚至还是原唱者的嗓音,带着那个时代特有的音调。我使劲揉了揉眼睛,但眼前就像蒙了一块发黄的纱布,一些白色的光点闪来闪去,仿佛在看一卷多年前的胶片,带着几个霉烂的斑点,通过放映机缓缓投射在幕布上。

突然,舞会中掠过一张脸庞。我立刻睁大眼睛,我又看见她了。

"若云?"

我轻轻地叫了出来,这个五十多年前生活于此的女子,又一次出现在我眼前。她正在舞厅中央最为引人瞩目的地方,拥着一个年轻的男子,一同迈着轻盈的舞步。对,我在老照片上见过那个男人,他是荒村公寓年轻的男主人,欧阳家族的继承人——若云的丈夫。

只有他们才是舞会的中心和焦点,所有的舞客都围绕着他们。这对年轻的新人光彩照人,跳了一支又一支曲子,最亮的那束灯光似乎永远只对着他们两人。

突然,一阵脚步声打破了这里的一切,曼妙的音乐声戛然而止,耀眼的灯光立刻暗了下来，大厅里变得空空荡荡，所有宾客也都消失了，宛如一团蒸发的空气、一片消散的幻影。

——舞会结束了。

我的眼睛还来不及适应这一切，大厅已恢复了平静，只有一盏昏黄的电灯亮着。在墙边的电灯开关下，小倩正满脸疑惑地站着。

"小倩，你刚才看到了吗？"

她看起来有些疲倦，摇着头说："看见什么？我刚刚从后门进来，看到大厅里面一片漆黑，我就打开了电灯。"

我惊讶地摇摇头问："你没看到？那你听到了吗？"

"你在说些什么啊？刚才这里一团漆黑，像坟墓一样寂静，我什么都看不到，也什么都听不到。当我一打开电灯，就看到你站在这里，呆若木鸡，像是在梦游似的。"

"梦游？又是一场噩梦？不……"

此刻，我心里非常清楚，刚才绝对不是在做梦，确实是我亲眼目睹，亲耳所闻。我确信，我看到了五十多年前荒村公寓的一场舞会，而且还有舞会上的皇后——嫁入欧阳家的若云。

小倩走到我身边，在我的眼睛前晃了晃手说："你在看什么哪？就像见到鬼似的。"

"不，那不是鬼。就像我们在看当年的老电影一样，我们并没有见到鬼，而是演员们的影像而已。"我走到了大厅中心，刚才若云跳舞的地方，大声地说，"这个大厅里出现的一切景象，就相当于电影院幕布上的影像，你明白吗？"

"那么投影机呢，胶片和拷贝呢？"忽然，小倩抓住了我的手，"我不明白你说的一切，但我知道你需要休息，这栋房子使你感到恐惧，而使你产生了某些幻觉。听我的话，只要你休息好了就没事了。"

她刚才说话的样子就像妈妈，我只能苦笑了一下。然后，我走到了那台留声机旁边，它还是我从走廊的杂物堆里找出来的呢。我仔细地看了看留声机，这机器已经是古董了，应该早就报废了，怎么可能再放出音乐来呢？

终于，我无奈地摇了摇头，跟着小倩上楼去了。

在二楼的房间里，小倩给我倒了一杯水，她柔声地问我："这些天来，你是不是太紧张了？"

"也许吧。"我颤抖着端起杯子，她的头发已垂到我脸上了，柔软的发丝散发出一股淡淡的幽香，撩得我心里痒痒的。我情不自禁地抬起头，怔怔地看着她的眼睛，就像在看某一件神秘的玉器。

她意识到自己离我太近了，向后退了退说："你知道吗？你现在的样子真像个小孩。"

"所以你会照顾我？"

这大胆的提问让小倩有些尴尬，她不置可否地笑了笑说："你累了，早点休息吧。"

我点了点头，在门口向她道了一声："晚安。"

也许，是受到刚才神奇"舞会"的刺激，我确实感到自己累极了。在卫生间草草洗完澡，便上三楼睡觉去了。

走进三楼的房间，又是一阵爬山虎的气味。但我连灯都没有开，一头倒在草席上就睡了。

这一夜，我真正沉入了荒村公寓的黑暗中。

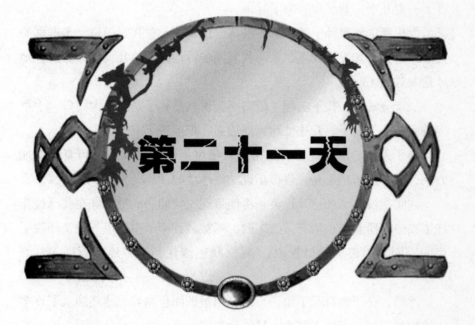

第二十一天

上午，当我醒来的时候，阳光已洒满我的额头了。我恍惚着爬起来，整理着自己乱糟糟的头发，到楼下去找小倩。

但她不在房间里，我在走廊里大声叫着小倩，却没有任何回应。回过头才发现柜子上有张纸条，她说她上班去了，微波炉里有给我准备的早餐。

打开微波炉，还是和昨天一样的早餐。吃完早餐后，我坐在房间里看了一会儿书，忽然手机响了起来。

没想到居然是孙子楚打来的电话，他说他正在我家门口，来把那些玉器还给我，却发现我不在家。我只能告诉他，我这几天住在外边，地址是安息路 13 号。

二十分钟后，楼下响起了敲门声，果然是孙子楚站在大门口，手里拎着我给他的箱子。我连忙跑到外边去，把他带了上来。

孙子楚小心翼翼地看着这房子，嘴里不停地啧叹："你可真会找地方啊，这种房子想必是写恐怖小说的好环境吧。"

我实在没心情和他开玩笑，将他带到二楼的房间里。好在我已经作好了准备，所有与小倩有关的东西，都被藏到柜子里去了。他又环视了房间一圈，用羡慕的口气说："将来我也能住到这种地方写论文就好了。"

然后，孙子楚打开了箱子，还是用报纸团包裹着，他还加入了许多泡沫塑料，把那五件玉器小心翼翼地拿了出来，说："你仔细看一看，有什么问题就说。"

这五件来自荒村地宫的玉器，现在整齐地呈现在我的眼前，我拿起它们仔细地看了看，并没有什么磕碰和损坏的痕迹。我点了点头："没问题，谢谢。那么鉴定结果怎么样？"

"我说过，我会邀请最优秀的玉器鉴定专家，他们对你这五件玉器的鉴定结果是———一级真品。"

瞬间，我心里微微一颤："它们真的是良渚古玉？"

"没错，它们确实是五千年前的良渚玉器，无论是材质，还是形状、纹饰和雕刻技法，都符合地下出土的良渚玉器特征。这些都是经过权威专家鉴定的，你就放心吧。"

"能不能说得详细点？"

"嗯。从矿物学角度看，玉可分为硬玉和软玉两类。硬玉就是通常所说的翡翠，主要产于缅甸；而软玉是一种具链状结构的含水钙镁硅酸盐，它是造岩矿物角闪石族中以透闪石、阳起石为主的特殊矿物。"

孙子楚说得头头是道，一套套专业术语，看来从玉器专家那儿学了不少呢。我不想浪费时间，径直问道："那良渚文明用的是什么玉呢？"

"良渚文明是中国玉器文明之源头，中国传统玉器主要采用软玉，以新疆的和田玉、中原的南阳玉和蓝田玉最为有名。良渚文明出土玉器数量之多、造型之精美举世罕见，世界各国学者都很关注，甚至有人提出了'玉器时代'的观点。"

"我只知道青铜时代和铁器时代，哪儿来的玉器时代？"

"中国神秘的远古文明，在石器时代结束之后，青铜时代开创之前，还存在着一个'玉器时代'，那个时代的人类认为玉器具有神秘力量，谁控制了玉器谁就控制了文明。至于良渚文明，因其使用玉料的数量惊人，肯定要有丰富的地下玉矿来供给。"

"玉矿？"我忽然想到了地下的宝藏。

"问题就出在这里了。在良渚文化范围内的考古发掘中，从未发现过古代玉矿遗址。也有人认为玉料是从辽宁或新疆运来的，但上古时代交通极不便利，千里迢迢运送大量玉石的可能性几乎为零。"

"可天上不可能掉下玉石来。"

"没错，所以我认为在良渚文化的区域内，或者在其附近的山脉中，一定存在着某个被遗忘的古代玉矿。古老的文明可以神秘消亡，但地下宝藏却应该是永存的。"

我连连点头："良渚文明的千古之谜——就是地下宝藏？"

"不，良渚文明留给我们的谜团实在太多了，玉藏之谜仅仅是众多个谜中的一个。"

"你的意思是说：良渚文明本身就是一个谜？"

"良渚文明的兴起是相当神秘的，它刚产生的时候，周边地区的文明程度并不高，最近很热门的三星堆文明，要比良渚文明晚一千多年。五千年前，良渚文明在东方所达到的高度，足以与同时代的古埃及文明与古美索不达米亚文明比肩。"

"这一定有着某种特殊原因吧。"

孙子楚点了点头："是的，在出土的良渚玉琮上，经常出现一个奇特的图案，被称为'神徽像'，其上部刻着倒梯形的神人脸，两眼圆睁，牙齿露在外面，头上戴着插满羽毛的皇冠，双手抓向下面的兽头。在古玛雅和古印加文明中，也都有类似的羽冠图案。它们都和良渚文明一样，留下了大量风格诡异的玉器和遗迹，迅速地兴起迅速地衰亡。"

"你认为良渚文明和玛雅文明有关？"

"这只是我个人观点。"

"那么良渚文明究竟到了何种程度？"

"一个拥有宫殿、王陵和金字塔的文明，你说它到了何种程度？余杭的莫角山遗址，足以让任何一个人惊叹，它是良渚文明的政治、经济、宗教中心，发现有规模宏大的'宫殿广场'，一万多平方米的建筑基址，被称为五千年前的紫禁城。还有大量高级墓葬，巨型棺椁里有着精美的玉器。埃及保存着一百余座金字塔，而良渚文明也有超过一百座被考古界称为'土筑金字塔'的高台。"

我深深吸了一口气："既然达到了如此辉煌的高度，那后来为什么突然衰亡呢？"

"这又是一个谜了。"孙子楚意味深长地叹了一声。"最多的说法是自然灾害：四千多年前，全球海平面升高，江南大部分土地被水淹没，良渚文明遭到了灭顶之灾。但还有一种说法：良渚文明对玉器非常痴迷，他们把大量的时间和精力都投入到玉器的开采和制作上。玉器在任何时代都是奢侈品，良渚文明因此陷入了极度奢侈的不良风气之中。"

"奢侈亡国？"

"没错。但无论是'水灾灭顶'说，还是'奢侈亡国'说，都没有肯定的证据。也许，良渚文明真的和古玛雅人一样来无影、去无踪。"

就这样两个钟头过去了，孙子楚就像 Discovery 频道的主持人，滔滔不绝地讲述着神秘的良渚古文明。

听着他的长篇大论，我心里忽然产生了一种奇怪的感觉——这个五千年前的本土神秘文明，究竟和荒村有着什么样的关系呢？可我实在想不通啊，荒村位于浙江东部的沿海，并不处于良渚文明中心的太湖流域，而且良渚文明距离今天实在太遥远了，那些在荒村发现的玉器，会不会是在其他地方出土的文物呢？

我只能摇摇头，脑子里已经乱成一团。看到那五件玉器，心里又像是被什么刺了一下似的。孙子楚帮着我把玉器收好了，他嘱咐我一定要小心谨慎，要放在一个安全的地方，这些东西可都是国宝级的。

"不过，这种鬼地方也不会有人来的，反正我就住几天而已嘛。"

中午，我陪着孙子楚到外边去吃午饭，今天自然是我请客了。在饭店里我没说多少话，有些事情我不敢告诉他，因为以他的性格，再加上职业习惯，肯定会打破沙锅问到底。与其再多一个纠缠于此事的人，不如让我自己一个人来扛吧。

孙子楚喝了许多酒，而我则是滴酒未沾。席间他已经醉醺醺地胡言乱语了，最后我扶着他走出饭店，将他塞进出租车送了回去。

回到荒村公寓后，我立刻来到二楼的房间，将那只装着玉器的箱子，拎到三楼走廊最里面的房间里。那里正好摆着一架梯子，通往天花板上面的阁楼。我小心翼翼地爬上梯子，将那只箱子放在阁楼的角落里。这样就应该安全了吧。

入夜后，我草草吃了一顿晚餐，就再也不敢关灯了——根据前两天的经验，只要在一片漆黑之中，我的眼睛就会看到那些离奇的景象，五十多年前的女子若云、那些曾经生活在这栋房子里的人……然而，只要电灯一打开，他们就会从我的眼前突然消失。

在荒村公寓的楼上楼下转了一圈，只要电灯泡没有坏，所有房间的灯都被我打开了。虽然，这些旧灯泡发出的光线，都如烛光一样昏暗，但我想如果从外边看荒村公寓的话，一定会有一种奇怪的感觉——几乎每个窗户里都透出几缕暗光，整栋房子仿佛回到了三十年代，宛如一部爱情电影的名字——《时光倒流七十年》。

不过，如果是外边那些拆迁工人，突然看到这栋空关多年的老宅，一下子亮起了这么多灯光，大概会被吓个半死吧？也许，人们会以为几十年前的鬼魂全都跑出来了，开一场只属于荒村公寓的幽灵晚会。

可惜，今天不是万圣节。

想到这里，我突然笑了出来。我自己也感到奇怪，都到了这种境地怎么还笑得出来。

晚上十点钟，小倩终于回来了，乌黑的头发闪着湿润的光泽，看来她已经在外边洗过澡了。女人的眼睛总是尖锐的，她立刻从我的脸上发现了什么："今天发生了什么事？"

"没什么啊！今天我在三楼躺了一整天。"

但她打开柜子看了看说："你怎么把我的东西都藏到这里面了？是不是今天有人来过这房间？"

唉呀，又被她发现了，我尴尬地傻笑了一下，只能把孙子楚来过这里的事情，老老实实地告诉了她。我顺便也向她简单地介绍了一下，五千年前神秘的良渚文明。

听完我说的这一切之后，小倩冷冷地说："你是说那些神秘的玉器，把良渚文明与荒村联系在了一起？"

"对，或许这就是荒村秘密的入口？"

小倩目光锐利地对准了我的左手："那么你手指上的东西呢？它也是五千年前的神秘玉器？"

我的心里又格登了一下，看着自己手上的玉指环，它像个寄生虫一样"长"在我的手指上，似乎已与我融为一体。我用右手遮住玉指环，哀伤地说："我这是怎么了？像个傻子一样卷进来，看着四个人相继遭遇意外却无能为力，现在自己的手上又被套上了这个魔咒似的东西，眼睛里看到的全是幽灵的脸孔——我究竟是怎么了？"

"这不是你的错。"小倩忽然靠近我，语气变得异常柔和，"不用担心，有我在你身边，你就不会有事的。"

终于，我克制不住自己了，将这几天所有的烦恼都发泄了出来："有你在我身边？你以为你是谁？《聊斋》里的聂小倩，还是五千年前的良渚女巫?"

她静静地听着我说完，表情是那样镇定自若，一句话也不说，就这么看着我的眼睛。这时我才意识到自己失态了，低下头抱歉地说："对不起，我不该对你发脾气，你知道我是从不发火的，可现在这种境地让我太绝望了。"

小倩依然盯着我的眼睛，淡淡地说："没关系。"

"真的没关系吗？刚才我是不是吓到你了？"

"不，你永远都不可能吓到我的。"

忽然，她伸出手摸了摸我的脸，微笑着说："早点休息吧，睡着了就不会恐惧了。"

我点了点头，但走到门口又回头道："可睡着了还有噩梦呢！"

小倩还是微微一笑说："晚安。"

在卫生间里洗了澡，我便回到三楼的房间去了。今晚所有的灯都亮着，其实我很不习惯在有灯光的房间里睡觉，但也只能咬着牙，闭上眼睛席地而眠了。

昏暗的灯光始终刺激着我的眼皮，我辗转反侧了许久才睡着……不知过了几个小时，忽然有什么声音刺激到了我的耳膜，使我从黑暗中缓缓苏醒了过来。

我的心立刻荡了起来，那声音带着某种特殊的旋律，催促着我睁开了眼睛。三楼的灯光还亮着，那声音似乎是从底楼传来的。我跌跌撞撞地跑出房间，终于听出那是钢琴的声音。

荒村公寓里怎么会有钢琴的声音？我侧耳倾听了片刻，觉得这旋律有几分熟悉——对，是李斯特的钢琴曲《直到永远》，也是我一直很喜欢的音乐。

循着那匈牙利人谱写的旋律，我蹑手蹑脚地走下旋转楼梯。底楼的大厅里一片漆黑，奇怪了，我记得这里的灯应该是亮着的。但那泉水般的钢琴声，却如动人的少女吸引着我，让我一时间忘掉了恐惧。

此刻，在这黑夜的荒村公寓中，回响着李斯特的钢琴曲，我感觉自己到了十九世纪，在匈牙利黑暗的森林中，倾听着城堡里少女的钢琴声和歌声——我无法用更多的语言来形容了，那钢琴绝妙的音色，再加上李斯特的旋律，仿佛是一对天生的情人，正在这荒凉的黑夜里两相厮守，窃窃私语，柔情似水，正如这曲子的名字——直到永远。

钢琴声在这栋古老的房子里潺潺地流淌着，引诱着我发现了那线亮光。那是大厅旁边的房间，琴声正是从这里传出的。那是欧阳家族拍全家福照片的房间，在墙边有一架名贵的旧钢琴，但它内部早已经坏掉了，是不可能发出任何声音的。

我默默走到门口，一片怪异的柔光照亮了我的眼睛，我看见了——在这宽敞的房间里，焕然一新的钢琴打开了盖子，十根玉笋般美丽的手指，正在琴键上舞动着，音波随着她的手指流淌而出，回旋在整个荒村公寓。

我的目光随着那双柔软而白皙的手指，渐渐移动到她的手臂和脖颈上，不知从何而来的幽光，如流水般泼洒到她皮肤上，再溅起片片水花，弹入了我的瞳孔中。

没错，还是她——若云。

我像是做梦一般，看着这个五十多年前的美丽女子。她穿着一条长长的裙子，白色的裙摆覆盖着双脚，黑发披在肩后。她全部精神都倾注在钢琴上，眼睛几乎是半闭着，十指只要一触到琴键就会发出音符，她是那样如痴如醉，似乎正体会着这支曲子的灵魂——永恒的忧伤之爱。

正当我几乎无法自持时，钢琴声突然停止了，若云的双手停在半空，手指微微颤抖。然后，她缓缓回过头去，目光投向了身后。

这时我才发现，房间里还站着一个人，一个风度翩翩的年轻男子，穿着黑色的衣服，笔直地站在窗边，光线照射在他的脸上，却是惨白惨白的。

——他就是若云的丈夫，欧阳家的传人。

房间里鸦雀无声，光影在男子的脸上晃来晃去，他缓缓走到若云身边，将手搭在她的肩膀上……

我的心一下子悬了起来，不知道自己该怎么办。这时我才感到手指上隐隐作痛，原来这疼痛已经持续很久了，我颤抖着看了看自己的左手，柔光照射在玉指环上，那些腥红色的污迹，仿佛越来越鲜艳了。

"不！"

恐惧到极点的我高声叫了起来，瞬间那片白光消失了，房间又陷入了一片黑暗，眼前什么都看不到了，我惊慌失措地摸着墙上的开关，但好一会儿都没摸到。

忽然，一只手搭到了我的肩膀上，我颤抖着回过头来，却闻到了一阵淡淡的暗香，几缕发丝拂到了我的脸上。

房间里的电灯亮了起来，一张熟悉的脸出现在了眼前，原来是小倩。她正睁大着眼睛站在我面前，与我相隔不过几厘米，我甚至能感到她的呼吸正扑到我脸上。

我们就这样怔怔地看着对方。十几秒后小倩后退了几步，脸颊泛红地说："你怎么会在这里？"

"我也想这样问你呢。"小倩穿着一件薄薄的睡衣，她抱着自己的肩膀说："刚才我做了一个梦。"

"噩梦？"我连忙摇了摇头。"噩梦"已经成为这个故事中，出现频率最高的词汇了。

"不是噩梦。"她忐忑不安地走到那架钢琴前面说，"我梦到了钢琴的声音，那首钢琴曲非常美，好像是……"

"匈牙利钢琴大师李斯特的《直到永远》。"

小倩低着头说："这段梦中的钢琴曲，使我产生了奇怪的感觉。于是我走出房间，当走到楼梯口时，突然听到你大叫了一声，我立刻就走过来了，却看到一个黑影站在门口。"

"然后你打开了电灯？"说着，我也走到了钢琴旁边，看着依旧破烂不堪的钢琴，怎么也无法想像，它居然还能弹出那么美妙的声音。我打开了上面的盖子，伸手在琴键上按了几下，还是什么声音都发不出。

那么，我刚才听到的钢琴声又是怎么发出的呢？难道那也是五十多年前的钢琴声吗？可是，这琴声怎么又跑到小倩的梦里去了呢？

小倩伸手捅了捅我说："你在发什么呆啊？"

我苦笑了一下："我在想刚才听到的，还有看到的一切。"

"你究竟听到了什么，看到了什么？好吧，我现在相信你说的话。"

看着她诱人的眼睛，我不由得点了点头，把刚才看到的一切离奇景象，都如实地告诉了小倩。但她听完以后，仍将信将疑地问："你真的看见了五十多年前的人？"

"是的，我看到了若云。"我轻轻念出了这个名字，同时抬头看着天花板，似乎在说给某个幽灵听，然后用骈文式的语气说，"亲眼所见，亲耳所闻，绝非梦境。"

我环视了房间一圈，摇了摇头说："深更半夜的，不要站在这里，我们上楼去吧。"

小倩似乎相信了我的话，也赶紧跑出了这个房间。

回到了二楼，我感到自己浑身上下疲惫不堪，轻声对小倩说："睡个好觉吧。"

然后我上了三楼，躺到了草席上。这时，我才发现手指已经不再疼了，玉指环也没有了异样的感觉，盯着那块腥红色的污迹，我忽然感到了什么——

难道是因为这枚玉指环？不，我赶紧闭上了眼睛。

窗外，长夜正漫漫……

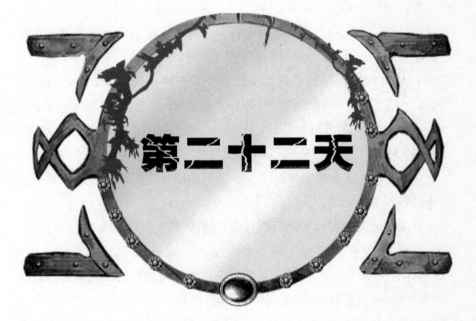
第二十二天

清晨，凉风从三楼窗口吹进来，爬山虎的气味总算淡了一些。我躺在冰凉的草席上，微微睁开眼睛，一个白色的影子晃动在我头上，在白色的上端又垂下来黑色的瀑布，我知道就是她了。

我渐渐看清，小倩穿着一件白色的睡袍，黑发垂在胸前，低头俯视着我。她的目光是那样奇怪，像电流一样穿过我的身体，使我浑身都不自在。我看了看窗外，阳光还没有射到房间里，大概只有清晨六点多吧。我迷迷糊糊地爬起来说："你怎么上来了？现在还早着呢。"

小倩的脸色苍白，额头还有些汗珠，几缕发丝贴在她的脸上，又是一副楚楚可怜的样子，她幽幽地回答："刚才，我做了一个噩梦。"

"又是噩梦！"她的声音着实让我吓了一跳，我从没听过她有这种嗓音，再想想昨天半夜里的那一幕，我摇着头问，"你梦到钢琴声了？"

"不，我梦到那对男女了。"

"那对男女？你是指若云和她的丈夫？"

"是的。我现在终于知道了……"但她却突然停住了，将头转向了一边。我着急地问道："知道了什么？"

小倩依然背对着我，声音颤抖着："那个男人，就是典妻的儿子。"

"典妻之子？"

瞬间，我眼前浮现出进士第的后院，那口梅花树边孤独的老井，在那幽暗的深处埋葬着典妻的肉体和灵魂。

我走到窗边深呼吸了几口，点了点头说："没错，如果典妻的故事是真的话，那么她为欧阳家生的儿子，到一九四八年也应该长大成人，到了娶妻生子的年龄了。从时间上推算完全吻合，而且欧阳老爷也就只有这么一个儿子，自然他就是典妻所生的了。"

小倩走到我身边，背倚着爬满藤蔓的墙壁，却一句话都不说。我盯着她的眼睛追问道："你是怎么知道的？梦里有人和你说话了？"

"不，你不要再问了。"她低下头，不愿再回答我的问题。

"那好，我不问了。"我轻叹一声，走出了房间。

小倩紧紧地跟在我身后："你去哪儿？"

"去刷牙洗脸啊。你一大早就把我叫醒了，让我怎么再睡下去？"

下楼洗漱完毕后，小倩把我拖进了二楼房间。原来，她昨天晚上带了许多西点回来，现在就当做早餐和我分享了。

吃完了这顿丰盛的早餐，她的情绪也好多了，终于露出了一些笑容。她拉我坐下说："你知道吗，刚才你走出房间时，我心里非常害怕。"

"害怕什么？"

小倩犹豫了片刻，终于幽幽地说："我害怕你会突然离开，把我一个人丢在这里。"

"你在胡思乱想什么啊？"

"不，请你答应我，不要把我一个人留在这栋房子里，因为现在我已经无处可去了，好吗？"

"无处可去？听起来就像个通缉犯。"我怔怔地看着她的眼睛，那双《聊斋》故事里才有的眼睛，似乎含着一些晶莹的液体，这让我的心又揪了起来，"你今天怎么了？我从来没见过你这个样子！"

但她依然执著地追问道："答应我，快答应我啊。"

"好，我答应你，不会把你一个人留在这里。除非……"

看到我停顿了下来，她又有些紧张了："除非什么？"

"除非——这房子不存在了。"

但小倩摇摇头，冷冷地说："不，除非我死了。"

"别这么说……"我也说不下去了，只能静静地看着她。而她也保持着沉默，似乎在用眼神对我说话。

僵持了大约几十秒，我终于说话了："小倩，我们谈点别的吧。"

"好吧，谈什么？"

"你为什么一定要住到这里呢？是不是因为我的缘故？"终于，我大着胆子，把憋在心里许久的话说了出来。小倩的耳朵有些发红了，她侧过脸轻声说："你在说什么啊？我听不懂。"

"为什么总是要跟着我呢？我到哪里，你也到哪里，我做什么，你也帮着我做什么，你就像我的影子一样……"说到这里，我有些尴尬地止住了。

"你讨厌我了？"

"不，我绝不是这个意思。虽然，刚开始我觉得你在纠缠我，但自从见到你第一面以后，那种感觉就完全改变了。最近这几天来，在我的潜意识中，总希望你会突然出现在我眼前，就像现在这个样子，离我很近很近……"

终于，小倩微微笑了起来，目光里闪着一些东西，使我的心跳又加快了，她幽幽地说："可我是聂小倩，你不害怕吗？"

"不，我觉得聂小倩很可爱，非常可爱。"不知哪儿来的勇气，我大声地说，"我宁愿自己是宁采臣，我觉得他是世界上最幸福的男人。"

她嘴角微微一撇："那么聂小倩也就是世界上最幸福的女人了。"

此刻，我不知道应该再说些什么了，只是怔怔地盯着她，看着《聊斋》中那双诱人的眼睛。我轻轻地伸出手，摸了摸她的头发，柔软的发丝在清晨的光线下，发出山泉般的反光，我的手从这些流水中游过，是那样凉爽和清澈。我不禁深深吸了一口气说："谢谢你，小倩。我终于感觉到了《聊斋》故事里，那些男主人公们的幸福了。"

她却默默不语，眼帘低垂了下来，一股淡淡的幽香沁入了我的心脾。但没想到她突然站了起来，低着头说："我差点忘了，今天要早点去冰淇淋店。"

瞬间，我又清醒了过来，沉默着走出房间。来到楼下的大厅里，我举起自己的左手，看着无名指上的玉指环，说不清心里是什么滋味。片刻，小倩换了一身衣服下楼来，出门前还特地关照我下午不要出去。

小倩离开后，我独自在大厅里踱步，不知不觉踱到旁边的房间里——阳光已照射到那架旧钢琴上，我轻轻地翻开琴盖，伸手触摸着黑白相间的琴键，这是五十多年前若云弹过的琴键，她的手指曾在上面轻快地敲打着，钢琴的体内共鸣着李斯特的旋律，轻轻飘荡在整个荒村公寓。

可是，现在我看不到她。我摇了摇头，快步离开了这个房间。

整整一天，我遵照小倩的关照，一直坐在房间里看书，午餐也是在屋里就地解决的。我就像那个守株待兔的农夫似的，躲在这栋古老的房子里，等待某个秘密或奇迹的出现。

我没想到的是，今天小倩提早回来了。窗外照射着夕阳时，她提着一大包东西走进房间，全是她从超市买来的快餐食品，还有几斤大米。

小倩亲手淘了米，用电饭煲煮了一锅饭，又用微波炉热了热那些快餐食品。自从进入这栋房子以来，我还从没正儿八经地吃过一顿晚饭。

吃着小倩为我烧的饭，心情自然不一样，连米粒的味道都很特别。虽然不是油锅炒出来的菜，但在荒村公寓这种鬼地方，能吃这么多菜已很知足了。不一会儿，我就吃了两碗饭，菜也差不多都被我卷入腹中。

然而，小倩却几乎没动什么筷子。虽说现在的女孩子，大都讲究节食以保持身材，但小倩的身材本来就很好，也用不着如此让自己受罪吧。我试探着说出了自己的疑问，但她却微微笑了笑说："你没看过《聊斋》吗？聂小倩本来就是不食人间烟火的。"

"不食人间烟火？那不是神仙就是妖怪啊。"

她淡淡地回答："那你就把我当个女妖怪吧。"

"是啊，聂小倩本来就不是人嘛。"我有些调侃似的回了一句。不过，她浑身散发的那种气质，确实有股不食人间烟火的味道，任何人看着都会想入非非。

忽然，天空传来一阵沉闷的巨响，把小倩吓得缩成了一团，我的心也差点跳出了嗓子眼儿。我立刻跑到窗边一看，黑暗的天空似乎滚动着无数乌云，雷声正在几万英尺的高空滚动着，转眼间一场大雨就落了下来。湿润的冷风灌满了房间，耳边只听到哗哗的雨声，窗前的藤蔓很快就被雨点打湿了。

我回头看了看小倩，她似乎对雷电很害怕，几乎闭上了眼睛。我连忙把窗户关好，坐到她身边问："你浑身都在发抖，怎么了？"

"我从小就害怕雷电。"

"在《聊斋》故事里，只有美丽的狐女才害怕雷电。"不知为什么，我突然想到了《聊斋》，但我立刻安慰她道，"别害怕，有我在你身边，你不会受到伤害的。"

正当我盯着她的眼睛，看着她的情绪渐渐平稳下来时，电灯忽然灭掉了，整个房间陷入了一片黑暗之中。漆黑的房间里我看不到小倩的脸，只能感受到她战栗着的身体，她嘴里喃喃地说着什么，但我一个字都听不清楚。此刻的房间就像是一个坟墓似的，只有窗外的雷雨还在继续肆虐着。

我连忙跑出房间，但走廊里的电灯却打不开，整个荒村公寓都处于黑暗中。我立刻回到小倩身边，她抓着我的手问："发生什么事了？"

"所有的灯都开不亮，大概是断电了。"

"怎么会断电呢？"

"荒村公寓再过几天就要拆掉了，肯定是拆迁队给我们断电的。"我无奈地摇着头说，"他们大概不知道我们住在这里。不过就算知道了也没用，反正我们也不是居民。"

说完，我在黑暗中打开了柜子，在我带来的包里摸了半天，总算摸出了几根白蜡烛。好不容易点燃了蜡烛，幽暗的烛光闪烁了起来，微微照亮了我和小倩的脸。

在不停摇曳着的白色烛火下，小倩的脸显得更加苍白，她惊魂未定地看着窗外，雨点正密集地打在窗玻璃上，发出海边潮汐般的声音。我凝视着这烛光下的房间，再倾听着外面的风雨声，忽然有了一种回到荒村的感觉。是啊，在进士第古宅的那栋小楼上，我也是同样在煤油灯下度过了恐惧的几夜。

忽然，小倩嘤嘤地说："看着这盏烛光，感觉仿佛回到了古代。"

"是啊，想必古人也是左手点着烛光，右手拥着佳人度过夜晚的吧。"我不禁贫了一把嘴，看她并没什么反应，便又联想了开去，"《聊斋志异》里常有夜行的书生在荒村古庙里避雨，偶遇美丽的佳人，便点着蜡烛与她吟诗作曲，红袖添香，却不曾想到那佳人居然是鬼魂或狐女。"

"可无论是人是鬼，能相遇便是他们的缘分，是不是？"

"对，缘分。"我点了点头，她刚才那句话确实有道理。

看着眼前的烛火，听着窗外的雨声，我不禁吟出了一句诗："何当共剪西窗烛，却话巴山夜雨时。"

"你也喜欢李商隐的诗？"

"非常喜欢，尤其是那几首《无题》。"

她微微点了点头："我也和你一样。"

我们都沉默起来，谁都不愿意打破这种气氛。就这样，我们静静地坐在一起，看着烛光映亮了彼此的脸庞，听着雨水敲打着冰凉的窗棂……

十分钟过去了，眼前这点幽幽的烛火忽然跳了几下，刹那间使我想到了什么，我的心跳又加快了。于是，我大胆地说："小倩，你相信吗？只要我们把所有烛光都灭掉，在漆黑的夜晚，那些五十多年前的景象，就会出现在我的眼前。"

"这怎么可能呢？就像上次在大厅里……可我怎么看不到？"

我缓缓伸出了自己的左手说："也许，是因为这个——"

"玉指环？"

"对，直到昨天半夜里我才感觉到，当我看见五十多年前的若云时，这枚玉指环就会越来越紧，把我的手指都给勒疼了。但只要那景象一消失，手指也就不再感到疼了。"

小倩抓住了我的手指，仔细端详着玉指环说："我明白了，为什么你的眼睛能够看到那些幻象，而我却什么都看不到，因为只有你的手指上戴着玉指环。"

"也许，这就是玉指环的魔力吧——不管谁，只要戴上它，就会看见别人看不见的景象。"

忽然，小倩轻轻地叫了出来："玉指环使你的视线穿越了时间？"

"所以，我并没有见到鬼，我只是见到了过去——时光在我眼前倒流了五十多年，使我见到了当年生活在这栋房子里的人。"

"就好像为你放了一场老电影？"

此刻，窗外又打了一个闷雷，烛光使这个房间变得更为诡异，我看着她的眼睛说："没错，当时我就觉得眼前的画面，仿佛是二十年代的无声电影，我所见的并不是真实的房间，而是一块银幕而已，那些不知从何而来的光线，正是影院放映机投出的光影。"

"也许还有另一种可能——当你戴着玉指环，面对着黑暗的房间时，时间在这特定的空间中扭曲了，折射到了你现在的眼睛里。"

"时空扭曲?"我摸着手上的玉指环说,"也有可能吧。或许,这就是玉指环里所包含的神秘元素。"

"那么,如果我触摸到这枚玉指环,会不会也看到过去的景象呢?"

她的问题让我微微一抖,我不由自主地把手伸到她面前,犹豫着说:"我不知道,也许可以试一试。"

小倩立刻抓住了我的左手,将我的无名指紧紧攥在她手心里。这感觉真的很奇特,玉指环紧紧握着我的手指,而小倩的手又紧紧地握着玉指环,我的无名指则被夹在了最里面。

"玉指环可真凉啊。"小倩轻声地说着,继续捏紧了我的手指,"现在,我能感觉到它的反抗,它紧紧贴着我的手心,就像是有生命似的,你的手指疼吗?"

"不,暂时还不疼。"

"那我们把蜡烛灭了吧,试试在这黑暗的房间里,能不能看到五十多年前的景象。"

我一下子愣住了,没想到她胆子又大起来了。"你真的要试啊?"

"没错,我也想亲眼看一看五十多年前那一幕幕话剧。"

"那好吧,但未必有效。即便我看到了,你也未必能看到。"

她又抓紧了玉指环说:"快点吧,我相信自己的判断。"

犹豫片刻之后,我向白蜡烛吹了一口气,烛火剧烈摇晃着熄灭了。

此刻,整个荒村公寓都在黑暗之中沉睡,只剩下窗外倾盆而泻的雷雨声。在一团漆黑的房间里,我们紧紧靠在一起,我的手指被她捏得隐隐作痛,只能强忍住不发出声音来。我能感到她的身体在微微颤抖,虽然眼前什么都看不到,但我们依然盯着前方的黑暗处,宛如丛林深处守候野兽的猎人。

不一会儿,我感到玉指环开始紧了起来,一股隐隐的疼痛立刻从指尖传遍了我全身。忽然,一道幽暗的光线,从黑暗的走廊中掠过。

小倩把我抓得更紧了,我甚至能感觉到她的心跳。我们盯着门外那线柔光,宛如一张曝光的底片微微闪烁。几秒钟后,一个细长的人影出现在房门口。光线正好照亮了那个人的脸,我几乎失声叫了出来——若云。

对，就是她。柔光似乎是舞台上的聚光灯，紧随她进入了房间，但只照亮她身边一小块范围，而我和小倩还处于黑暗中。我扭头看了看小倩，她向我点了点头，是的，小倩也看见了若云。

眼前的光线微微一抖，就像电影里换了个镜头似的，若云的表情已经有了变化，她的眼神里饱含着恐惧，似乎还滚动着泪珠。

小倩更抓紧了我的手，我的手指几乎要被她捏断了。一眨眼，那道幽光又跳了一下，画面被"剪辑"到了另一个镜头——

不知何时，若云的手里多了一把寒光闪闪的匕首，表情却变得异常平静，手中的匕首正对准了我……

就在这千钧一发的关头，"镜头"一下子模糊了，就像被蒙上了一层过滤镜。忽然，一团血红色出现在"镜头"里，缓缓地弥漫开来……

小倩尖叫了起来，我连忙伸出右手捂住她的嘴巴。这时天空传来一声巨响，一道白色的闪电掠过，把这房子照得如同白昼。一刹那，眼前的"镜头"和"画面"全都消失了，仿佛被耀眼的闪电吞没了。闪电过去，房间里又恢复了一片漆黑，窗外依然大雨滂沱。我感觉玉指环也不再紧了，手指上的痛楚也在渐渐消退。

小倩颤抖着说话了："怎么全都看不见了？"

坐在黑暗之中，我总算吁出了一口气："他们本来就不存在，只是当年的影像而已。"

"窗外闪电的光线，驱散了房间里的黑暗，就像打开了电影院的黑房子。"

"你的比喻真好。"我抓着她的手说，"小倩，现在你可以放开我的手了吧。"

"嗯。"小倩立刻放开了我的手，虽然黑暗中看不清她的脸，但我能感觉到她的尴尬。

我揉着自己的手指说："我的手指差点被你捏断了。"

"对不起。"

我摸出打火机，点亮了被吹灭的蜡烛。

幽暗的烛火重新照亮了房间，也照亮了我和小倩的脸，我发现她的额头上全是汗珠，我拿出手绢为她擦了擦汗。小倩心有余悸地说："真不敢想像，刚才就在这个房间里，我亲眼目睹了五十多年前的人和事。"

我在房间里走了几步，烛光将我的影子投射在墙壁上，那长长黑黑的影子看起来也挺吓人的。可惜，这房子再过几天就要拆了，否则许多年以后，当人们再度进入这栋房子探险时，或许也会在墙上发现我和小倩的音容笑貌吧。

"看来你手上的玉指环，确实具有某种神奇的功能。"小倩也走到了我身边，伏在我耳边说。

"对，这枚玉指环也来自荒村的地下。所以，我们今晚所看到的一切，都应该和荒村的秘密有关。"

现在，小倩的情绪平稳了许多，她点了点头："那么，刚才我们所看到的景象，究竟是什么呢？"

"我想我们发现了五十多年前荒村公寓里最血腥的一幕。"

"你是说那把匕首，还有血……"说到这里，小倩突然止住了，似乎这个"血"字令她非常恐惧。

我微微点了点头，又想起了叶萧告诉我的那些事情，不禁喃喃自语道："怪不得说荒村公寓是一栋凶宅呢。"

"凶宅？"

"没……没什么。"

我向她摆了摆手，强挤出一丝笑容，其实我是不想让她太紧张。我又走到窗边，看着外边连绵的雷雨，远处那些高楼依然亮着璀璨的霓虹，上海又是一个不眠夜。

小倩在我身后说："现在连电都没了，今晚怎么过去呢？"

"不用害怕，这房子里并没有鬼，不要自己吓自己，我们所见到的若云和她丈夫，只是五十多年前的影像而已，影像是不会伤害人的。"然后，我从柜子里掏出了一支手电筒，打开后放在床头说，"你就握着它睡觉吧，手电光线会陪伴你做个好梦的。"

她将信将疑地拿过手电筒，又指着蜡烛问："那它呢？"

"点着蜡烛睡觉太危险，很容易引起火灾。"

说着，我低下头把蜡烛吹灭了。房间里只剩下小倩怀中的手电筒还亮着，我看着幽暗光线照射下的她，轻声地说："对不起，小倩，我知道今晚你很害怕，但我必须要上楼去了。"

"别走！"她立刻抓紧我的手腕，"请不要让我一个人留在这里。"

"可是……我们……"此时此刻，我也真想不出离开她的理由了。

她的眼泪缓缓流了出来，喃喃说道："留下吧，我害怕独自一人。"

不，我再也不忍心拒绝她了，只能坐在了她身边。她的眼皮渐渐低垂了下来，她缓缓躺倒在床上，看来她已经被刚才那恐惧的影像吓坏了，浑身上下显得疲惫不堪。

我静静地看着小倩，她的手里依然紧攥着手电筒，幽暗的光线照射在她的脸上。窗外是淋漓的大雨，房间大半被黑暗笼罩着，就连我也坐在昏暗的角落里。

十几分钟过去了，我想小倩应该已经睡着了。我给她盖上了一条毯子，又重新检查了一下窗户是否关紧。然后，我从柜子里拿出第二支手电筒，轻手轻脚地走出了房间。

终于出来了，我长长地呼出了一口气，想起刚才小倩拉住我的样子，那个瞬间我真有些控制不住自己了。是的，我早已经深深地喜欢上她了，而她的心里也应该清楚了。一想到这里，我便在黑暗的走廊里微微笑了起来。

是的，不管发生什么恐怖的事情，都不能再阻拦我和小倩了。我感到自己浑身都舒畅了起来，刚才的恐惧也都烟消云散了。于是我打起手电筒，一路小跑着上了黑暗的楼梯。

回到三楼的房间里，我抱着手电筒躺到了席子上，忽然觉得自己还是幸福的。

窗外，依然大雨如注。

第二十三天

上午醒来时已很晚了，昨夜的大雨也早就停了，但窗前爬山虎的叶子上还带着水珠。在经受了一夜雨水的浇灌后，它们显得更加生机勃勃。可惜，爬山虎们并不知道，再过几天，它们的生命就要随着这栋房子一起终结了。

来到二楼才发现，小倩已经上班去了，但她还是给我留了份早餐。吃完早餐后，我在楼上、楼下转了一圈，虽然电已经被掐断了，但幸好自来水还没断，最后几天应该还可以撑过去。

由于没有电，午饭我只能到外边去吃。但是，和昨天晚上小倩做的饭菜相比，这顿午餐简直比猪食还难吃。

下午无事，我在房间里看了一会儿书，但只要一想起昨晚这房间发生的一幕幕场景，就实在没心情把书看下去了。挨到傍晚时分，当我准备出门去吃晚饭时，小倩却提前回来了。

小倩穿着一条短裙，头发略微有些湿润，身上散发着一股洗发水的幽香。不过，更吸引我的是她手里提着的肯德基快餐。虽然，我一直很讨厌西式快餐，但在这种非常时刻，能吃到肯德基就已经很不错了。

天色全黑以后，我们点起了蜡烛，我不禁自嘲地说："在烛光陪伴下吃饭，这是高级餐馆里才有的待遇啊。"

当我旁若无人地吃光了我那份鸡腿时，才发现小倩几乎没怎么吃，我抹着嘴上的油说："小倩，你能不能吃一点啊，蒲松龄老先生可没写过聂小倩节食瘦身的故事啊。"

但她却冷冷地回答："因为聂小倩本来就不食人间烟火。"

收拾干净快餐垃圾后，小倩忽然轻声问我："昨晚……你为什么没留下来？"

"这个嘛……"我尴尬地笑了笑说，"我看你已经睡着了，自然就不需要人陪了。"

小倩不再说话，只是深吸了一口气，她的眼神里似乎还藏着什么东西，却回避着我的目光。在幽暗的烛光下沉默了许久，她忽然又说话了："上次你说过，你从那个去过荒村的大学生那里，得到了几件古代的玉器。"

"问这个干什么？"我忐忑不安地回答，"那些玉器来自于荒村的地下，就和我手上的玉指环一样。"

"它们真的都有五千年的历史了？"

"专家都鉴定过了，应该是的吧。"

"能不能让我看看？"她走到我跟前，盯着我的眼睛说，"只是看看而已，不会动你的东西的。"

不，我怎么能回绝她这个小小的要求呢？我点了点头："好吧，只是看的时候小心点，千万不要弄坏这些宝贝，更不能把玉器的消息泄露出去。"

"这个我当然知道。而且，除了你以外，我也没有其他朋友。"

我点了点头，带上了两支手电筒，我和小倩一人一支，便走上三楼去了。踏上黑暗中的旋转楼梯，小倩紧紧跟在我身后，在手电光线开道下，我们来到三楼走廊尽头的房间里。

这里有我留下的一架竹梯，正好对着上面天花板的窟窿。我用手电筒照了照上面说："要从这里爬上去的，你害不害怕？"

她的胆子比昨晚大了许多："不害怕。"

我点点头，一手抓着手电筒，一手抓着竹梯，好不容易才钻到了阁楼上。然后，小倩也跟着爬上了竹梯，我紧紧抓着她的手，把她拉了上来。黑暗的阁楼里充满了可怕的气氛，老虎窗被爬山虎枝叶挡住了，一丝月光都照不进来。我只能用手电筒扫视了一圈，许久才找到了那个装玉器的箱子，感觉就像是在盗墓似的。

在手电筒光束狭小的范围内，我艰难地打开了箱子，小心翼翼地取出了里面的玉器——玉琮、玉璧、玉钺、玉龟和玉匕首。手电光照射着这些宝贝，玉器的表面泛出奇异的反光，小倩在玉琮上轻抚了几下，她的手指微微颤抖了起来。

我再看看周围地宫般黑暗的环境，忽然想到了那四个遭遇离奇的大学生，当他们进入荒村的神秘地宫，面对着这些玉器时，大概也有相同的感觉吧。

小倩叹息着说："现在我相信了，它们确实是五千年前的玉器。"

"为什么?"

"因为我手上感觉到了。"她把手从玉器上挪开了，后退了一步说，"是的，当我的手指触摸着玉器时，我真的感受到了它们的年龄。"

"这就是女孩子的第六感吗?"

"也许吧。你快点把它们都收起来，五千年前的宝贝东西，我可不敢再碰了。"

我点了点头，又把这些玉器都收了起来，重新用旧报纸和泡沫塑料保护好，放回到了箱子里。

然后，我拉着小倩的手说:"等一等，我再给你看几样东西。"

在手电筒光线的指引下，我找到了那张梳妆台，轻声说:"这就是若云用过的梳妆台。"

"怎么没有镜子?"她看不清黑暗中的镜框。

"早就破碎了啊。"

小倩会意地说:"就像昨晚，她和她丈夫。"

"对，一面破碎了的镜子，怎么可能再复原呢?"

说着，我拉开了下面的两个抽屉，把若云和欧阳家的那些旧照片，还有两本张爱玲的书都拿了出来。在手电筒昏暗的光线下，小倩缓缓翻动着照片和书，看着照片里若云的脸庞，她伤感地说:"谢谢你，谢谢你让我看到了这些，我仿佛能呼吸到她身上的气味了。"

"是啊，我也有同样的感觉。"

"不，我和你的感觉不一样。因为我是一个女孩，也只有女孩能感受到若云的痛苦——她在嫁入欧阳家之前，一定是个有许多憧憬的女孩，她是因为深爱着年轻英俊的欧阳，才牺牲自己嫁入这间囚笼的。"

"你说荒村公寓是囚笼?"

"难道不是吗? 欧阳家是那样保守和闭塞，就算他们搬到了上海，也会把荒村的进士第古宅一起搬过来。是的，这栋房子就成了又一座进士第，所以才会起名叫荒村公寓，这不过是在上海的土地上，重建了一个微缩的荒村而已。"

她说的确实有道理，我也点了点头说:"嫁入欧阳家，也就等于永远失去了自由，被禁锢在这微缩的荒村里了？"

"对，若云嫁入荒村公寓后，一定经历了很深的痛苦，但她又不愿意表现出来，只能眺望窗口，只能阅读张爱玲的书。"

小倩叹了口气，然后把这些旧照片和书，全都放回到抽屉里。

"好了，我们走吧。"我轻轻地拉着她，向阁楼另一头走去，忽然手电筒光束照出了一个巨大的黑影。

"那是什么？"小倩立刻抓住了我的手。

我仔细看了看，才吐出了一口气说："没事，是个衣橱。"

"衣橱？里面有若云的衣服？"

也许，是女孩天生对衣橱情有独钟，她立刻跑到了衣橱边。在手电光下，她缓缓打开了衣橱，一股霉味让我们都扭过了头。

片刻，手电光照亮了衣橱里面，小倩突然尖叫起来："有死人！"

我立刻紧紧抓住她说："不，里面是吊着的衣服。"

"什么？"小倩总算回过神来，仔细地往衣橱里看了看，在昏暗的手电筒光线下，那几件黑色大衣看起来真像是吊死鬼。

小倩小心翼翼地把手伸进去，摸了摸一件显眼的旗袍，丝绸都已经脆掉了，她只能放下。她又摸了摸旁边一件衣服，是件黑色全毛的女式大衣，看得出料子和做工都很好，在当时来说该是一件奢侈品了。

忽然，小倩似乎在大衣上摸到了什么，她的手停在大衣正面的口袋上，里面似乎藏着什么东西。她立刻把手伸进了口袋，那个口袋看起来非常大，几乎吞没了她小半条手臂。

——她从大衣口袋里摸出了一个笔记本。

手电筒的光线照射在笔记本上，小倩小心翼翼地捧着它，显得异常激动，她兴奋地说："你看，这是什么？"

"藏在大衣口袋里的笔记本？"

这是一本黑色的硬皮本子，应该是五十多年前的产品了。我将笔记本轻轻地翻开，在扉页上出现了一行娟秀的字迹——

荒村公寓日记

这行字下面还有落款——若云。

"天哪！这是当年若云留下的日记。"小倩不禁失声叫了出来，她伸手轻抚着扉页，触摸着若云用黑色钢笔留下的字迹，"她居然把日记藏在衣橱里，真是太不可思议了。"

"也许本来就不是她藏的。"这时我把日记本合上了，略带紧张地说，"在阁楼里实在不方便，我们到二楼的房间里慢慢看吧。"

小倩点了点头，于是我们带着日记本，从竹梯爬下离开了阁楼。

我们匆匆回到二楼的房间，用手电筒实在是太别扭了，我又重新点上了一根蜡烛。当烛火重新照亮房间时，我和小倩都长出了一口气，好像又回到了人间。

终于，我们一起翻开了这本若云的《荒村公寓日记》，却发觉内页里缺损了很多，有许多页被齐根撕掉了，这样就使得日记残缺不全。我数了数剩下有字的页数，总共是二十几页。

不过，日记的第一页却完好地保留着，在页首写着日期——民国三十五年十月二十日。日记是按照当时的习惯，竖直排列从右向左书写的，一个个漂亮的汉字显现在我们眼前。

在这荒村公寓的黑夜里，摇曳的烛光映红了泛黄的纸张，我和小倩都屏住了呼吸，仿佛真的听到若云在说话似的，一齐默念着《荒村公寓日记》的第一天——

民国三十五年十月二十日　晴

今天，是这本日记的第一天，也是我嫁入荒村公寓的第二天。

对，昨天是我结婚的日子。

我一直想不明白，为什么人们总说女人出嫁时是最美丽的。昨天当我披上洁白的婚纱，看着镜子里的自己时，我几乎以为那是一个陌生人了——是的，镜子里的她是那样年轻，那样纯洁，婚纱如雪一样覆盖着她的身体。然而，那是我吗？我摇了摇头，镜子里的她也摇了摇头，我轻声地说话，镜子里的她也嚅动着嘴唇。我不敢想像，从今天起我就要变成她了，一个完全陌生的女人。

欧阳家的汽车等在我家楼下，妈妈陪着我下了楼，几个女孩帮我托

183

着婚纱，将我塞进了汽车里。汽车到了荒村公寓，只听到鞭炮响个不停，许多人围着我进了欧阳家，我一直都低着头，甚至都没看清这栋房子是什么样。大厅里早就布置好了一切，清远穿着一身笔挺的西服，正微笑着等待着我。他看上去是那样英姿勃勃，目光里透着自信的微笑，因为从这天起他将成为我的丈夫。

清远的父母威严地坐在正中，虽然他们早已审查过我这个儿媳了，但还是一丝不苟地注视着我。我就像个漂亮的玩具似的，按照他们家约定的步骤，完成了婚礼的所有仪式。酒宴上来了很多人，嘈杂的人声使我什么都听不清楚，就像做了一场梦。一直闹到很晚，清远才拉着我进了三楼的洞房，我早已经筋疲力尽，倒在床上就睡着了。

这就是我的婚礼。第二天，清远拉着我给公婆请安，然后陪着我过了一天。现在，趁着他去楼下的空当，我躲在书房里写下这页日记。

从今天起，我将在这本日记中，记录下我在荒村公寓的每一天。她是我心底最隐秘的朋友，除了我自己以外，任何人都不能见到她。

民国三十五年十月二十九日　阴

今天，是我嫁入荒村公寓的第十天。

清远的父母住在二楼，每天上午清远都会带我去向他们请安，他说这是欧阳家一贯的规矩。公公婆婆的年龄都很大了，而清远则是他们的惟一的儿子，也是欧阳家族惟一的继承人。我想老爷和太太是老年得子，一定非常爱自己的独子吧，所以他们也一定会很爱我的吧。

今天起清远就回公司上班了。欧阳家在上海开了一家贸易公司，专门从事从美国进口各种贵重商品的业务。老爷和太太年纪都大了，公司的生意完全由清远一人管理，所以他总是忙得焦头烂额。现在已经是晚上九点了，他还没有回家，我独自坐在书房里，呆呆地写着日记。清远曾经答应过我，在结婚以后我依然可以去银行上班，但现在公公婆婆都不同意，他们说欧阳家的媳妇必须要留在家里。清远不能违背父母的意愿，终于使我打消了继续工作的念头。

虽然只过去了十天，但感觉就像过了好几年似的。这就是新婚的滋味吗？一辈子都回忆不尽？会不会是这栋房子的原因呢？有时候走在荒村公寓的楼梯上，心里就会产生一种奇怪的感觉，似乎能听到什么声音，停下脚步来侧耳倾听，却又什么都听不到了。哎，会不会是新娘子们都会有的多疑心呢？

是的，说实话我有些怕公公，他穿着的衣服和说话的声音，都让我隐隐感到害怕。清远总是在安慰着我，说欧阳家来自偏僻的地方，自然有些保守的风俗。算了吧，只有面对清远时我才会感到开心，可今晚他什么时候回来呢？

民国三十五年十二月二十四日　阴

今天是平安夜。

早上，我难得出门一次，安息路两边的洋房大多挂起了彩灯，原来明天就是圣诞节了。自然，那些挂彩灯的人家都是外国人，欧阳家是绝不会过洋人的节日的。但是，清远已经答应我了，今晚他会早点回家，与我一起吃顿晚饭的。

但是，清远却又一次爽约了，我是和公公婆婆一起吃的晚饭，他们吃饭的时候一句话都不说，我几乎什么都没吃，就跑到大厅隔壁弹钢琴去了。对了，这架钢琴可以算是我的嫁妆，每当我烦恼的时候，就会坐在钢琴前弹奏李斯特的曲子。弹着弹着钢琴，我的眼泪就悄悄落了下来，我只能停下手擦一擦眼泪。不，他不会忘记今天这个日子的，因为今天是我们相识一周年的日子。

是的，在整整一年以前，我还在中国银行办公室做秘书。去年的平安夜，女同事们都纷纷提前回家了，只有我还在打着一份文件。我发现有一双眼睛正盯着我，便缓缓抬起头。眼前是一张年轻英俊的脸庞——他就是我的清远。原来他已经这样看了我许久了，我问他有什么事，他却搔搔头问经理办公室在哪里。从此以后，他每天下午都会来银行办公室，应该由财务做的事全由他自己做了，因为只有这样他才有与我说话的机会。他每次和我谈话，都会扯到许多别的事，在办公室一谈就是小半天，而我也实在不好意思赶他走。后来，他就请我到外边去谈了，先是去咖啡厅、餐馆，然后是电影院、公园。大家很快都知道了这个秘密——欧阳家的公子在追求我，女同事们也向我投来羡慕的目光。而我的心里则忐忑不安，不知该如何面对清远。这个男人是如此出色，风度翩翩、温文尔雅，更重要的是他家很富有，在安息路上拥有一栋三层楼的洋房。我知道有许多女子暗中争夺着他，但他却一个都看不上，惟独爱上了我。直到现在我也说不清楚，他为什么会对我情有独钟，或许是因为我的眼睛吧，他说过我的眼睛里有一种穿透时空的美丽。

最终，我被清远征服了。在他那灼热的感情面前，我想他应该就是我生命的另一半了。我们全家人都为我感到高兴，银行里的女同事们则暗暗地嫉妒。于是，在七月一个炎热的夜晚，在罗宋大饭店的众目睽睽之下，我接受了他的求婚。

这就是我们相识相恋的经过，然后就是我们的婚姻了。在这整整一年的时间里，我从一个女孩变成了女人，但我又说不清楚自己到底改变了什么，或许就像一只鸟儿，只是从一只笼子，换到了另一只笼子。

弹完钢琴，我回到了楼上的书房，呆呆地看着张爱玲的《传奇》，这本书我已经看了二十遍了，也许还要再看个二十遍吧。

刚才，我接到了清远打来的电话，他说今晚有重要的应酬，要明天才能回家。我一句话都没有说，轻轻地挂上电话，继续写我的日记。

圣诞快乐，我亲爱的朋友。

民国三十六年四月一日　小雨

记得过去在银行上班的时候，办公室里有个外籍职员，在每年四月一日都会搞出许多恶作剧，不是说某个同事今早中了彩票大奖，就是说第三次世界大战昨晚打开了，原来四月一日是外国人的愚人节。

今天，就是四月一日。

医生是下午来的，公公和婆婆都很紧张，清远也很难得地提前回家了。仔细地检查完毕后，医生非常郑重地告诉我——我怀孕了。

听到这个消息，我愣住了，半天都没有反应过来。我轻声地问："对了，今天是四月一日，你在跟我开愚人节的玩笑吧？"

医生傻乎乎地回答:"对不起,太太,什么叫愚人节?"

我尴尬地笑了笑,便不再说话了。可是,为什么是在今天告诉我,难道这一切都是命运跟我开的玩笑?

不,我知道什么是怀孕,也知道我将要成为母亲了,但是——我说不清楚,只是在那个瞬间,心跳莫名其妙地快了起来。

清远并没有注意到我的表情,而公公婆婆也都高兴极了,婆婆也终于露出了笑容,抓住我的手说个不停。可她那张布满皱纹的脸,就像来自一千年前的古墓,她嘴里唠叨着浙东方言,我几乎连一个字都听不懂,感觉就像是在向我念咒语似的。

他们折腾了我整整一天,直到半夜我才有了自己的空闲,坐在书房里写下这些字。我想现在正有一粒小小的种子,藏在我的腹中生根发芽了,他(她)会渐渐地长大,然后离开母体,他(她)会像谁呢?是我还是清远?

我轻轻地揉了揉腹部,就此停笔吧。

民国三十六年四月三日　晴

今天,是荒村公寓第一次举行舞会。

在两天前知道我怀孕以后,清远决定要风风光光地庆祝一番,他邀请了生意场上所有的朋友,在荒村公寓举行一场舞会。

入夜以后,所有的宾客都来了,荒村公寓所有的佣人都忙碌了起来,把大厅布置得富丽堂皇。清远拉着我来到了大厅中央,向大家宣布了他即将做父亲的喜讯,在众人或羡慕或嫉妒的掌声中,留声机里放出了音乐——舞会开始了。

清远一向是舞场上的高手,据说他的舞姿迷倒过不少女子。我原本并不怎么会跳舞,在认识清远以后,他就经常带着我上百乐门、七重天,在他的悉心调教下,我的舞技也迅速提高。不过,在嫁入欧阳家以后,我就再也没有机会跳舞了,至于清远是否在外面和别的女人跳舞,我就不得而知了。

随着那曲《花样的年华》响起,清远搂着我翩翩起舞,音乐牵引着我的脚步，将那早已遗忘的节拍又拾了回来。天哪，我已经很久没有这样的感觉了，我们紧紧地贴在一起，他有力的大手搂着我的腰肢，我轻轻地把头伏在他肩膀上，感觉就像一叶入港的小舟。

周围那些跳舞的人们，都目不转睛地盯着我们，我们已成为了舞会的核心。然而，我不想做什么舞会皇后，只是想做清远惟一所爱的女子。我重新抬起头看着他的眼睛，在他那柔和的目光里，分明是歉疚和补偿。是的，半年来我对他充满了怨恨，他的彻夜不归，他的不闻不问，他身上沾染的外边的脂粉气……现在一切都烟消云散了。清远，你可曾听到我心里的话？不管你做过什么，我都已经原谅你了。

是的，我们会成为美满的夫妻的，我们会生下许多孩子，荒村公寓将不再清冷孤寂，而将变得生机勃勃。

民国三十六年五月二十五日 阴

前几天我在日记里说过了，公公婆婆回了一趟乡下，那是一个叫荒村的地方，据说在那里还有一所叫进士第的老宅子。昨天黄昏时分，公公婆婆终于风尘仆仆地回来了，似乎从老家带回了什么重要的东西，装在一个大皮箱子里。他们看着我的表情很奇怪，我不知道会发生什么，只是下意识地摸了摸自己的肚子。我的身材已开始臃肿了，但心里还是很高兴的，因为我的孩子越来越大了。

公公婆婆和清远一直在窃窃私语，好像在瞒着我商量什么重要的事情，我隐隐有些可怕的预感。整个晚上都躲在房间里不出来，将近子夜十二点钟还不敢睡觉。这时，清远却把我拉了出来，将我带到了一个空房间里。公公婆婆也在那里等着我，他们把门紧紧地锁上，让我躺到房间中央的桌子上。我对这气氛感到很害怕，实在不敢躺上去，婆婆就上来训斥了我几句。最后在清远的恳求下，我只能仰面躺在桌子上，就像真正临产的孕妇那样。

公公打开了从乡下带来的大皮箱，拿出了一个似乎是玉制的小盒子。然后，清远小心翼翼地打开了盒子，伸手捧出了一个圆环似的东西。清远浑身颤抖着说："这就是玉指环吗？"

婆婆点了点头说："快点进行吧，总要走到这一步的。"

清远缓缓走到我身边，抓住了我的左手，玉指环也清晰地呈现在我眼前，它是青绿色的玉器，在侧面有着一块醒目的红色污点，在灯光下发出某种奇异的反光。我立刻挣扎了起来，但被清远死死地按住，他的眼睛里似乎含着泪花，轻声地说："若云，放心吧，你不会有事的，就像戴一枚戒指似的。"

我眼看着自己左手的无名指，被清远握得不能动弹了。然后，他将那枚玉指环，缓缓套在我的手指上。玉指环冰凉冰凉的，立刻像是一只箍似的，紧紧地"握"住我的无名指，一股奇怪的感觉立刻传遍全身。瞬间，我感到腹中胎儿轻轻叫了一声，于是我也哭泣着喊了出来。但清远死死地按着我，手指上的感觉使我浑身无力，再也无法反抗了。

在朦胧的灯光下，我只看到公公满意地点了点头，他那张僵尸般苍老的脸，对着我的眼睛摇晃了几下。然后，我听到他的口中传出了一阵奇怪的话，那简直就不是人类的声音，就像是在念着某种咒语似的，连续不断地传进我的耳朵。这声音具有特别的节奏，像是一种古老的歌谣，我立刻想到了一本书上所说的，在某些施行巫术地方的巫歌。不，这可怕的古老声音，分明要夺取我和孩子的生命，我想要拼命地挣扎，但身上却没有一点力气，只能默默地流着眼泪。

在晃动的光影中，我看到清远和婆婆围在我身边转圈，他们转了一圈又一圈，嘴里都在念念有词。眼前一切都变得朦朦胧胧的，我渐渐什么都看不清，什么都听不到了——我觉得自己仿佛被抓到了某个部落里，被捆绑着供奉在桌子上，那些野人围着我跳舞唱歌，而我和我的孩子将成为可怜的祭品。

我失去了知觉，至于后来发生了什么，我就再也不知道了。

等到我醒来的时候，已经是今天早上了。我发现自己躺在卧室里，清远正焦急地看着我。我揉了揉眼睛说："昨天晚上，我做了一个梦，梦到你们把我放在桌子上，围着我跳舞唱歌……"

清远只能尴尬地说："是吗？既然是一个梦，就不要太担心了。"

但是，我立刻就感到了手指上的东西，我举起左手一看，那枚玉指环正赫然戴在我的无名指上。我尖叫了起来:"这是什么东西？梦中的玉指环怎么会戴在了我的手上？"

而此刻清远已经无言以对了。我想要把玉指环拔出去，但无论我怎么用力，玉指环却始终牢牢地套在手指上，并且套得越来越紧，让我的手指疼得要命。整整一天，我用了各种方法要把玉指环弄掉，但它就像有自己的生命一样，怎么也无法拔出去了。

我痛苦地追问着清远，可他却苦笑着不愿回答。我又大着胆子去问公公婆婆，他们却露出了笑容，不停地安慰着我，说昨晚只是欧阳家的习俗而已，是为孕妇母子祈祷平安。至于那枚神奇的玉指环，他们却没有告诉我原委。

现在，我躲在书房里写这页日记，我确信昨天半夜发生的一切都是真的，我并没有做噩梦——不，这比噩梦更可怕，他们围着我唱起了古老的巫歌，还给我戴上了一枚玉指环，而一戴上它就再也摘不下来了。天哪，我的丈夫和公公婆婆究竟在干什么？他们欧阳家究竟是什么人呢？直到这时，我抚摸着腹中的孩子，突然感到这是一个错误，从我嫁入荒村公寓的那天起，就是一个巨大的错误。

现在，我该怎么办呢？

民国三十六年六月十八日　多云

我见到了鬼。

昨天，清远又是彻夜不归，公公婆婆也回乡下老家去了，我一个人睡在三楼。半夜里忽然感到手指一阵疼痛，原来那枚玉指环嵌进了我的肉里。我紧紧地揉着左手无名指，却发现走廊里的灯亮了。我忍着手指上的痛楚走出房间，却发现那不是电灯的光线，而是一种奇怪的白光，照亮了楼梯口一个黑色的背影。

我轻轻地叫了一声:"清远。"

但那个背影却没有任何反应，我着急地跑了过去，但那人影却走下了楼梯。奇怪的是，那线白光始终照射着那个背影，而周围都是一片昏暗。我缓缓地跟着背影来到了二楼，才看清那是一个高大的男子，似乎不像是清远。那男人露出了一只惨白的手，推开了一扇房门。我也跟着走到了门口，却看到房间里吊着几个死人！

我吓得差点尖叫起来，但嘴里却什么声音都发不出，恐惧也使我几乎忘记手指上的疼痛。此时，我终于看清了那个男人——原来是一个洋人，苍白的皮肤，栗色的头发，灰色的眼睛，大约有四十多岁的样子。更让我恐惧的是，在房间里吊死的人也是洋人，一个女人和三个小孩，她们柔软的身体悬在半空中荡来荡去，长长的头发披散下来，遮挡住了半边脸庞，赤着的脚板直直地绷着，看来她们都已经断气了。

外国男人看着眼前这一幕，也绝望地大叫起来，可奇怪的是我却听不到任何声音，只见他张大着嘴巴，不知在嚷些什么。也许，吊死的人就是他的妻子女儿吧？我想任何人到了这种处境都会发疯的。我不知道自己应该做什么，只能大声地叫喊了起来，但那个男人却没有丝毫反应。我眼睁睁地看着他站到一把椅子上，然后将一根悬空的带子套到了脖子上。

此刻，白色的光线照亮了他的脸。他的那副表情是那样奇特，嘴角甚至还有一丝微笑，似乎是一种生命的解脱。然后，他一脚踢开椅子，吊着的带子勒紧了他的脖子，整个身体都悬在了半空。突然，他的双脚乱蹬起来，表情痛苦万分，双手却无力地晃着，难道他对上吊后悔了？

就在这时，一片刺眼的光线从头顶亮起，立刻使我闭上了眼睛。等我重新睁开眼睛时，眼前的一切却都改变了——那几个吊死的洋人都不见了，房间里收拾得干干净净，几个女佣跑了进来，她们惊慌失措地围着我。

我不敢相信自己的眼睛，但房间里确实没有什么外国人，那几根上吊用的绳子也不存在了，只有头顶一根横梁穿过。女佣们说她们刚才听到了我的惨叫，于是就冲上来打开了电灯，发现我极度惊恐地站在这里。

但我还是不能接受，便向她们述说刚才所见的恐怖一幕，女佣们都摇了摇头。从她们相互间的表情来看，大概是以为我发疯了吧？

这时一个年纪大的女佣想了起来，她曾听说在好几年前，这栋房子里住着一户法国人。日本军队占领上海租界以后，要把欧洲人都送进集中营，几个日本兵冲进这所房子，蹂躏了这户法国人的妻女。于是，这户人家受不了这样的侮辱，就一起在二楼的房间里上吊自杀了。

天哪，我见到了鬼？

是的，刚才我见到了这家法国人，见到了他们上吊自杀的那一幕。可为什么只有我会见到？我忽然想起了玉指环，想起了那个可怕的仪式，想起了公公婆婆僵尸般的脸……

不，我不敢再想下去了，也许这荒村公寓本来就是一个鬼宅？

今天的日记就写到这儿吧。

民国三十六年六月十九日　大雨

窗外，大雨如注。

今天我再也忍受不下去了，我已下定决心一定要问出缘由，否则我将会发疯的。谢天谢地，今天清远终于提前回家了，趁着公公婆婆不在，我把他拉到了卧室里。窗外的大雨使清远显得很烦躁，他来回地踱着步，就像一个被审讯的犯人。

我颤抖着问道："你还爱不爱我？"

"问这个干什么？"他转过身去，对着被大雨打湿的窗户。

"为什么给我戴玉指环，为什么对我唱巫歌，为什么我会见到鬼？"

"因为你是欧阳家的媳妇。"清远回过了头，他的表情是那样奇怪，似乎正在左右为难之中，在长长地思考了几分钟后，他终于长叹了一声，"其实，这件事我迟早要告诉你的，只是担心你会感到害怕，所以才一直不敢说出来。"

"究竟什么事？我们是夫妻，还有什么不能说的吗？"

清远停顿了片刻之后，缓缓地说道："荒村的秘密。"

"秘密？荒村有什么秘密？"

"你知道我们欧阳家族的历史吗？"清远深深地吸了一口气，目光变得更加异样了，"历史啊，历史总是会捉弄人的。历史学家总说中国有五千年的历史，起源于古老的中原大地。然而，历史学家们并不知道，就在五千年前的江南水乡，还存在过一个古老的王国。"

"你又不是历史学家，你怎么知道的？"

清远冷笑了一声："我当然知道，你先听我说……五千多年前的江南，尚是一片水乡泽国，处于原始蒙昧的时代。就在这黎明前蛮荒的时代，突然出现了一群传说中的天神，他们来自茫茫的大海之上，驾着数艘巨大的独木舟，在一片荒凉的海岸登陆——那个地方就是今天的荒村。"

"我明白了，荒村就是天神们登陆的地方？"

"对，但这不是神话，而是历史的事实。天神们来自一个极度遥远的地方，那个地方是如此遥远神秘，以至于从来没有人类到达过那里。不过，天神们长着和人类相同的模样，他们很快就发现这块土地很适合他们生存，于是便在这块荒凉的海岸上定居下来。"清远又停顿了许久，略带痛苦地说，"但更重要的是，他们在那块荒凉的海岸附近，发现了一些非常重要的东西。"

"什么非常重要的东西？"

"我也不清楚，因为这个秘密实在太重要了，只有我父亲一个人知道。父亲曾经说过，惟有在他临死的时候，才会把这个秘密告诉我。"

我忽然感到有些冷，抱着自己的肩膀说："那么再说说那些天神吧。"

"好的。天神们在荒凉的海岸边住了一段时间，便翻越重重的山峦向北进发了，他们发现了一片更为肥沃的土地，这就是远古的江南平原。于是，天神们征服了当地的土著居民，建立了一个强盛的远古王国，这个王国的名字叫古玉国。"

"古玉国？"

"是的，因为他们非常喜欢使用玉器，无论是在日常生活中还是在宗教祭祀中，玉器都是必不可少的。而古玉国的王族，也就是天神们的后代，不但掌握着制作玉器的技术，还能够利用玉的神秘力量，创造许多当时不可能的奇迹。"

"玉的神秘力量？我不明白。"

"看看你手指上的玉指环就明白了。"

我低头看着玉指环，立刻就明白了什么叫"神秘的力量"。对啊，它就像有自己的生命一样，能够牢牢地缠在我的手指上，也许它还有其他更多的力量吧。

清远继续说道："因为古玉国的王族，能够掌握并利用玉器的力量，这使得他们的国家迅速地强盛，在太湖周围创造了辉煌的古代文明。他们甚至还建立了一座城市，拥有气势宏伟的宫殿、巨大的祭坛和神殿，还有深入地下的皇陵。古玉国最重要的东西就是玉，他们制作了大量的精美玉器，而天神们的后代——王族则掌握着玉的最高秘密。"

"什么是玉的最高秘密？"

"这个我也说不清楚，但那个最高秘密确实存在。好了，再来说说王族吧，古玉国是一个由女王统治的王国。是不是很奇怪？更奇怪的是，女王并不是世袭的，而是从王族中挑选出一位少女来，以继承女王的宝座。这位女王拥有宗教权，也就是古玉国的大祭司。"

"这样的女人真令人羡慕。"

但清远摇了摇头说："不，女王并没有真正的实权，王族们控制着一切，而女王必须保持终身的贞节，否则就要自杀谢罪。"

"女王必须是终身的处女？这个规定多么荒唐！"

"是有些荒唐，但在当时的古玉国，女王的首要使命是祭祀，所以必须是一个纯洁的女子，否则就会亵渎天神祖先。"

"她真可怜。"

"古玉国的繁荣大约持续了一千年。但是，再神奇的力量都不能阻止它的衰亡，因为这是一个自然的规律，任何突然兴起的文明都会突然地消亡。古玉国也不例外，它遭到了内忧外患的袭扰：内忧就是长达数百年的洪水，太湖水泛滥成灾，淹没了良田和城市；外患则是周边部落的入侵，他们虽然落后但骁勇善战，古玉国的王族早已被奢侈之风所腐化，虽有玉器的神秘力量，也无法抵御外敌。"

我点了点头，抢先问道："古玉国就因此灭亡了？"

"不，古玉国的灭亡是因为一个女人。在大约四千多年前，古玉国有一位美艳绝伦的女王，虽然她明知自己必须终身贞节，但还是爱上了一个年轻的奴隶。"

"女王与奴隶的爱情?"

"今天看来是不是很浪漫?但在当时的古玉国,却是大逆不道、亵渎天神的举动。但女王坚持了自己的爱,并与自己所爱的男人发生了关系。后来,他们的关系被王族发现了,根据祖先的规矩,女王必须以自杀洗刷罪恶。"

我只感觉心猛地一揪:"她死了吗?"

"是的,美丽的女王为爱而自杀,她用一把匕首割断了自己的咽喉。她在临死前曾经预言:'古玉国会在一年之后灭亡。'在她死的时候,手上戴着一枚玉指环,鲜血沾染在玉指环上面,就再也擦不掉了。王族们都被女王的死震撼住了,他们感到内疚与自责,便将那枚沾有女王鲜血的玉指环,供奉为王族的最高圣物。因为,玉指环寄托了女王死亡的哀怨,拥有一股神奇的力量。"

听到这里,我立刻举起了自己的左手,那枚玉指环正发出异样的光芒。是的,指环上那块红色的污迹,不就是悲惨的女王的鲜血吗?

清远握住了我的手,继续说下去:"果然,在女王自杀一年以后,强大的异族占领了古玉国,杀死了大多数居民,焚毁了城市和宫殿,古玉国的文明遭到了彻底毁灭,甚至没在史书上留下任何痕迹。但是,有一小部分王族活了下来,他们带着女王的玉指环,逃到了当初祖先登陆的那片荒凉海岸。"

"也就是今天的荒村?"

"对,这些人逃到今天的荒村,在那块祖先登陆的土地上过起了隐居的生活。他们延续着古老的生活方式,在那片闭塞的荒凉海岸,繁衍了一代又一代。在南北朝以后,他们便以欧阳为姓氏,成为此地的大族,但依然不与外界来往。直到明朝才出了一位进士,后被皇帝御赐了贞节牌坊。"终于,清远像浑身虚脱了似的叹了一声,幽幽地说,"现在,你该明白我们欧阳家族的历史了吧?"

此刻,窗外的雨渐渐小了,我看着清远的眼睛,颤抖着问:"你是说——欧阳家族是古代王族的后裔?"

195

"没错，我们是五千年前古玉国王族的后代。我们家族的人，从一出生就和别人不一样，这些事情是不能让外人知道的，如果有谁泄露了家族的秘密，就必然要遭到最严厉的惩罚。"

"这就是荒村的秘密？那么这枚玉指环呢？为什么要把它戴在我的手指上？"

"因为这是我们家族的规矩，几千年来都是如此。这枚玉指环沾染着末代女王的血，血也就代表着女王的生命，所以玉指环具有神秘的力量，它能让你看到别人看不到的东西，也能保佑你的平安。所以，每当欧阳家的媳妇怀孕时，就必须要戴上这枚玉指环，这是家族的圣物，隐藏着远古的秘密，会使你腹中的孩子变得与众不同。在戴上这枚玉指环的同时，家族成员还会给孕妇举行一些特别的仪式，唱一些古代流传下来的巫歌，也是为了保护你们母子平安。"

"可是，玉指环戴在手上就拔不下来了。"

清远微微笑了笑说："不会有事的，等你把孩子生下来，玉指环就会自动脱落的。然后，我们会把玉指环带回荒村，藏在我们老宅里一个隐秘的地方。若云，请你一定要记住，这枚玉指环是我们家族最重要的圣物，绝对不能有闪失，更不能把它的秘密告诉其他人。"

"所以，你才不敢把这些事告诉我，是吗？"

"对，但作为欧阳家的媳妇，你是应该知道这些秘密的。现在，我把它们都说了出来，也算是完成了我的一桩心事。"清远忽然揉着我的肚子说，"若云，你嫁入我们欧阳家，也就是我们家族的一员了。无论如何，你必须要遵守家族的规矩，否则就会发生悲剧。"

我的心跳立刻加快了："悲剧？"

清远似乎说到了什么忌讳，表情很尴尬地说："不要害怕，现在有玉指环保护着你，它将使你平安地生下孩子，我相信一切都会很圆满的。"

接下来，他又说了许多安慰我的话，但我却心乱如麻，什么话都说不出来了。

等到清远睡着以后，我悄悄来到书房，摊开了我的日记。窗外的雨使我百感交集，如今我也是这古老家族的一员了？但这是我自己的选择吗？身为女人，就一定要如此吗？

也许没有人会相信，刚才我和清远的谈话，我每一个字都记得清清楚楚，现在我几乎一字不差地把它们写出来，这也应该是我最长的一篇日记了。

民国三十六年十二月二日　阴

熬过了九个多月之后，我的预产期就是明天。清远为我请来上海最好的医生，明天早上就会到家里来守着我，公公说只要有玉指环在，孩子就会顺利地生下来。

现在，我一个人躺在卧室里，清远就睡在隔壁，他说一有动静就会来看我。趁着这个空当，我总算拿出了日记本，挺着大肚子写日记真不容易啊。但我还是要写下来，因为明天我的孩子就要诞生了，我也将成为一个真正的母亲。所以，我想记录下我此刻的心情。

可是，现在我心里的滋味实在太奇怪了，丝毫没有即将做母亲的喜悦。虽然我也曾听说，女人头一回生孩子前会非常紧张的，但我不是这种感觉。我从不担心生孩子的过程，我害怕的是我和孩子的未来。我一想起欧阳家族的秘密，还有我的公公和婆婆，心跳就会莫名其妙地加快，我不知道这种感觉还会持续多久，也许会是一辈子。

昨天夜里，我做了一个噩梦，梦见我分娩出的不是婴儿，而是一大块青色的玉石，被雕刻成了胎儿的样子。当噩梦醒来时，我感到自己浑身都是虚汗，我知道那是不会成为现实的，但那已是我在半个月内的第九个噩梦了。

写到这里，我抬起了我的左手，玉指环上那块红色的污迹，正发出幽幽的光芒，那是四千多年前女王的血，她也在看着我吗？

民国三十六年十二月十日　晴

七天前，我的儿子诞生了。

难以形容分娩时的痛楚，总之我生下了一个健康的男孩。孩子长得非常像清远，看来他更多的是继承了欧阳家族的血脉。清远给儿子起名为家明，希望他能够使欧阳家发扬光大。

当我搂着家明的时候，看着他那张小小的脸，眼泪情不自禁地落了下来。看啊，他很快就会吃奶了，我轻轻地吻着他，我希望他能顺利地长大成人，和其他的孩子一样幸福美满，这是所有的母亲共同的希望。

在我生下家明的第二天，就发现玉指环从我手指上脱落了，看来清远说的没错，它已完成了自己的使命。清远收走了玉指环，说是去交给公公婆婆，他们会把玉指环送回荒村老家的。

我已经七天没有写日记了，现在趁着房间里没有其他人，我悄悄地拿出日记本，在床上记录下我做母亲后的心情。

民国三十七年四月五日　小雨

"清明时节雨纷纷，路上行人欲断魂。"

现在，窗外下着小雨，让我想起了这首诗。

今天是清明节，原本是要回乡下扫墓的，但因为家明出生才几个月，所以家里没有举行祭祀的仪式。清远趁着公公婆婆都在家的机会，请来了一位摄影师，要为我们拍一张全家福。

摄影地点选在底楼，那个放着钢琴的大房间。在布置好灯光后，我和清远、公公婆婆都摆好了位置，家明则抱在我的怀中。摄影师要我们面带笑容，但我们却始终都无法让他满意，最终他只能拍了一张表情严肃的全家福。

当面对着照相机的镜头时，我只感到恐惧和害怕，而怀中的孩子也哭了起来，就像要被带走灵魂似的。我知道这是我的幻觉。但最近我的幻觉愈来愈强烈，常常会在梦中见到可怕的场景：我梦见我的孩子，变成了吸血的蝙蝠，倒吊着挂在房梁上；我梦见我的丈夫，嘴里长出了滴血的獠牙，趴到我的喉咙上吸血；我梦见我的公公，变成了一具清朝的僵尸，伸直双手一跳一跳走来；我梦见了我的婆婆，露出了浑身的白骨，从棺材里爬了出来。

是的，几个月来噩梦不断地纠缠着我，让我丝毫没有初为人母的欢乐，惟有深深的恐惧和绝望。

民国三十七年四月六日　阴

今天清晨，公公婆婆回了乡下。清远也去了公司，直到晚上还没有回家。等到家明睡着以后，我一个人来到了底楼，打开了我的钢琴。

已经很久都没有弹过钢琴了，当我摸着琴键的时候，眼泪又忍不住掉了下来。还是李斯特的曲子——《直到永远》，现在这首曲子对我更重要了，我只能说钢琴是我惟一倾诉的对象。是的，只有在钢琴面前，在李斯特的旋律中，我才会感到快乐，才会感觉我就是我自己，我是一个叫若云的女子，而不仅仅是欧阳家的媳妇。

正当我完全沉浸在钢琴声中时，发现清远早已经站在我的身后了。他看起来脸色很不好，似乎是喝了一些酒，他叫我不要弹钢琴了，永远都不要再弹了，因为他讨厌我弹钢琴的样子。终于，我再也无法忍受了，我说除非我死了，否则我不会放弃钢琴的。但我没有想到，他竟然打了我一个耳光。

我摸着被清远打过的脸颊，眼泪止不住地流了下来。和他结婚一年多以来，虽然他对我冷淡，但还从来没有打过我，现在这种屈辱使我想到了死。清远似乎也清醒了过来，他赶紧抱住了我，轻声地向我道歉，但我只能以沉默来回应他。

然而，清远也微微抽泣了起来，他似乎沉浸在了自己的世界中，自言自语地说："你不要再哭了，其实我心里比你更难受。你不知道，我是典妻的儿子。"

我终于说话了："什么是典妻？"

于是，清远向我娓娓道来，原来典妻是浙东的一种风俗，没有儿子的大户人家，花钱"租借"穷人家的媳妇来生子。当年，清远的父亲中年无子，花钱租了一位典妻上门，后来便生下了清远。典妻常思念原来的丈夫和孩子，有一次逃出欧阳家又被抓了回来，便被施以沉井的惩罚，也就是扔到井里淹死了。其实，当初欧阳家之所以要杀死典妻，是害怕她逃出荒村以后，会向外界泄露欧阳家族的秘密，所以才把她给沉井了，实际上是杀人灭口。

实际上，在清远内心里，是非常恨父亲的，因为父亲杀死了他的亲生母亲。但是，这一切都是为了保守家族的秘密，谁都不能违反祖先的规矩，无论怎么痛苦也必须忍受。

原来清远并不是婆婆亲生的儿子，我心里也感到很惊讶。回到楼上的书房，我匆匆写下今天的日记。既然欧阳家为了保守秘密，能够杀死清远的生母，那么会不会也杀死我呢？

民国三十七年四月十日　多云

今天，我的精神坏到了极点，因为我的钢琴已经不能弹了。我打开钢琴检查，才发现里面所有部件都被砸烂了，看着这些惨不忍睹的钢琴部件，我感到一阵揪心的痛。这架钢琴是妈妈买给我的礼物，是娘家给我的嫁妆啊，它甚至比我的生命还重要。

晚上，我把清远逼到了二楼的房间里，他承认是他破坏了钢琴，目的是为了让我彻底对娘家死心。但我还是难以置信，我曾经深爱过的丈夫，竟砸烂了我生命中最重要的物品，我的心也被他砸碎了。自从进入荒村公寓以来，我已经忍耐了很久，但我无法容忍清远对我的钢琴下手。于是，我把所有的痛苦都发泄了出来，泪流满面，心如刀割。

但清远却显得异常冷静，他冷冷地说："若云，嫁入了我们欧阳家，就应该过另一种生活，把外面的世界忘掉吧。"

"为什么别人能做的事，你们却做不到？难道你们不是人吗？"

清远缓缓点头："没错，我们不是人。"

他的话让我大吃一惊，从他那种严肃的表情来看，绝对不可能是在开玩笑，我颤抖着问："不是人？那又是什么呢？"

"听我说，我们欧阳家族和一般的人类是不同的。我说过我们祖先是五千年前，江南古玉国的王族统治者，他们本来不是这块大陆上的居民，而是来自另一个极度遥远而神秘的地方。简而言之，我们家族是另一个物种，在我们的血管里，还流淌着五千年前古玉国祖先的血，我们生存的目的就是为了保护家族的秘密。"

我又惊呆了，难道我的丈夫不是人吗？那么我的儿子也不是人了？不，我想清远是疯了吧，我不能再和这个疯子生活在一起了。终于，我大着胆子说:"清远,我们离婚吧。"

"你说什么?"清远仿佛听错了一样。

"我说我要和你离婚。"我含着眼泪说,"清远,我曾经深爱过你,但我不能再继续和你生活下去了。我不想成为你们家族的牺牲品,这栋房子根本就是一个牢笼,是一个吞噬人灵魂的地狱。而且,我要带着我的儿子离开,不管他的血管里流着谁的血,但他应该和别的孩子一样,拥有同样的人生和快乐。我爱我的儿子家明,我绝不能让他生活在家族的阴影中,他有权利获得幸福。"

清远摇了摇头,恶狠狠地说:"你疯了吗?自古以来,只要嫁入了荒村欧阳家,就绝对不能离开,如果哪个媳妇想要私奔出逃的话,就会受到最严厉的惩罚。"

"什么是最严厉的惩罚?"

他缓缓地吐出了一个字:"死。"

但我已经不再害怕了,冷冷地回答:"为了自由,我宁愿死。"

若云的日记就到这里为止了,后面全都是空白页。

第二十四天

此刻已是凌晨两点。我和小倩终于看完了这本五十多年前的日记。

忽然烛光摇晃了几下，才发现蜡烛都快要烧光了，我连忙换了一根新的蜡烛。小倩合上了若云的日记本，深深地吸了一口气说："天哪，这就是荒村的秘密吗?"

目不转睛地看了几个小时，我只感到眼睛和肩膀都有些酸痛，我活动了一下身体说："这本日记确实不可思议，只可惜很多页都被撕掉了，我们所见到的只是一小部分而已。"

小倩轻抚着日记封面说："若云的命运太悲惨了，但她是生活在二十世纪的新女性，在她心底是渴望爱情和自由的，她绝不甘心做一只笼中之鸟。所以，她要带着儿子离开欧阳家，追求一种全新的生活。哎，只是不知道她成功了没有。"

但这时候，我已没心思去想若云的命运了，我更关心的是自己——我缓缓举起左手，看着戴在无名指上的玉指环，感觉那块腥红色的污迹愈加刺眼了，因为我已经知道了它是谁的血。

我看着玉指环说："日记里所说的五千年前的古玉国，显然就是今天所说的良渚文明。无论是文明的时间和年代，还有所位于的地域范围，其文明的最大特征——玉器，都和今天考古发掘的良渚文化完全符合。日记里说古玉国建立了城市，有宏伟的宫殿和祭坛，这些也和莫角山遗址所发现的一样。"

"这么说来，这本日记为你解开了神秘的良渚古国之谜?"

"现在还不能说解开，只能说为我提供了一把钥匙，可以打开良渚文明的大门了。是的，荒村欧阳家族的秘密，其实就是远古良渚文明的秘密，他们就是远古良渚王族的后代，在古国灭亡后一直隐居在荒村。因为，荒村是他们祖先在东亚大陆登陆的地方，所以对于他们具有重要的意义。"

"可是，日记里说欧阳家族的祖先是天神，你相信吗?"

"我不知道，许多民族都有类似的神话，说自己的祖先来自天上的神界。但日记里也确实提到，欧阳家的祖先来自一个极其遥远而神秘的地方，他们是渡过茫茫大海才来到荒村的。那么，这个极其遥远而神秘的地方究竟是哪里呢？"

忽然，小倩似乎想起了什么："极其遥远而神秘的地方？会不会是外星人呢？"

"外星人？不，这可不是倪匡的卫斯理系列，只有在小说无法自圆其说的时候，才会拿外星人来充数。"

"那天神是什么意思？欧阳家的祖先也许从海上来，也可能是从天上来的。古人并不知道什么是外星人，在落后迷信的古代人眼中，从天而降的人自然就是天神了。"

我只能点了点头说："理论上确实存在这个可能性。就像英格兰的巨石阵遗址、秘鲁安第斯荒漠中的线条图案、南太平洋的复活节岛等等，这些神秘的现象和遗迹，都不像是地球人类创造的。"

"对啊，日记里若云的丈夫不是说过吗，欧阳家族并不是真正的人类，他们是另一个物种。"

"不，日记里的话并不能全部相信，但是——"我又把目光对准了玉指环，"但是我相信关于玉指环的说法。"

小倩也盯着玉指环，幽幽地说："它曾经戴在古玉国末代女王的手指上，当女王为爱而死时，鲜血流淌到了玉指环上，永远都擦不掉了。"

我颤抖着摸了摸玉指环上那块腥红的污迹——这是良渚女王的鲜血啊，已经四千多年了，却还是那样鲜艳夺目。它凝聚了女王的哀怨和痛苦，具有某种神秘的力量，至少可以让我的眼睛穿越时间，看见几十年前的景象。五十多年前若云怀孕时，也曾经戴过这枚玉指环，当她生下小孩后指环就自然脱落了，那么我怎么办呢？事到如今，我几乎已经绝望了。

"这枚玉指环，是荒村欧阳家族的圣物，一定是神圣不可侵犯的，就像古埃及法老的木乃伊。你听说过'法老的诅咒'吗？在二十世纪初，考古学家挖掘了古埃及图坦卡蒙法老的陵墓，当他们进入法老的墓道以后，就看见有文字警告他们，所有进入陵墓的人都将遭到诅咒而死。但考古学家还是挖出了法老的木乃伊，谁都没有想到，在此后的几年时间内，所有参与过挖掘的人，甚至研究过图坦卡蒙法老木乃伊的人，全都神秘地死亡了。"

小倩睁大了眼睛说："你的意思是，那四个大学生进入荒村，把地下的玉指环偷了出来，他们的行为触犯了古老的禁忌，所以遭到了与'法老的诅咒'相同的命运？"

"对，其中有两个人不是死于噩梦吗？打个比方吧——噩梦就相当于一种电脑病毒程序，一旦进入地宫偷取了圣物，就会感染上这种病毒程序，几天之后病毒程序启动，便成为噩梦杀人。"

"真的就和你的小说一样吗？"

我无奈地摇了摇头，烛光下的脸色一定很可怕吧："如果日记里的内容都是真的话，那么欧阳先生和他的女儿小枝，也一定都是远古良渚王族的后代了。但现在他们都已经死了，欧阳家族不会再有后人，这个延续了五千年的古老家族就此终结，不知对于我们来说是福还是祸？"

然而，我的话似乎触及到了小倩什么，她的神色忽然变得极度异常，目光里似乎掠过了什么东西，在幽暗的烛光下令我隐隐感到害怕。但她回避着我的目光，最后干脆闭上了眼睛，我感到她的身体越来越软，渐渐半躺在了折叠床上。

已是凌晨三点了，我从来没有熬夜的习惯，此时终于支撑不住了。我想要离开上楼去，但小倩却紧紧抓住了我的手，我怕站起来会弄醒她，便轻轻地吹灭了蜡烛。我开着一支手电筒，闭上眼睛，想坐在小倩的身边小憩片刻……

可没想到我这么一坐就睡着了，直到上午的阳光照射到眼皮，才悠悠地醒了过来。睁开蒙眬的双眼，却看到小倩依然还在熟睡着，原来我就这么和衣睡了一夜。我感到一阵心慌，如果让她看到就说不清楚了，我轻轻地站了起来，刚到门口却听到了小倩的声音："你去哪儿？"

我尴尬地回过头来："我刚刚进来。"

"不，你刚才还躺在我身边。"她盯着我的眼睛，使我根本无法辩解，她站起来抓着我的手问，"昨晚你没有离开我，我很感谢你。"

"对不起，我昨晚实在太累了。"

"我也是。"小倩又拉着我坐下问，"告诉我，你是不是很恐惧？"

我低垂下了眼帘，看着自己手上的玉指环说："是的，那四个大学生正是因为这枚玉指环而出事的，现在它就戴在我的手上。而我不知道荒村的厄运，究竟会不会降临到我的头上？"

"不，你的恐惧是因为你的孤独，而我也和你一样。我们只有在一起，才能够战胜恐惧。所以，你不可以离开我。"

是啊，只有孤独的人才会感到恐惧，我忽然感到了某种希望，抓着她的手说："小倩，我永远都不会离开你。"

她的泪水又缓缓流了出来。

半小时后，小倩和我一起去外边吃了早餐，然后她就去冰淇淋店上班了，而我必须要去找一个人——叶萧。

现在，只有他能够帮我了。

我直接到公安局，找到我的表兄叶萧警官。他对我的突然造访感到很意外，将我拉到了一个偏僻的角落里。我直言不讳地说出了来意："叶萧，我想查查旧上海警察局的档案，看看有没有一九四八年关于安息路的案件卷宗。"

叶萧想了好一会儿说："好吧，我可以帮你的忙，希望你能够早点脱身出来。"

我们一起吃了顿午饭，然后他就带着我前往档案馆，这里收藏着旧上海的刑事档案。叶萧将我带进了档案阅览室，光是检索目录就花了两个多小时。千辛万苦，终于查到了与安息路有关的所有卷宗。我们再从中调出一九四八年的档案，当年安息路发生的案子不多，总算找到了安息路 13 号的卷宗。

那一年果然发生过重大的案件。出于警察的职业习惯，叶萧也立刻提起了精神。这些档案都写得密密麻麻，用那个时代的公文格式写成，我很难一眼看明白。而查阅卷宗一向是叶萧的强项，他熟练地翻阅着档案，看着那一页页的现场记录、警局笔录，还有案件报告。我索性也不看档案了，只是盯着叶萧的脸，发觉他的神色正渐渐凝重起来。

几十分钟后，叶萧突然合上了档案，冷冷地说："也许是我的失误，当初我早就应该来查案件卷宗了。"

我着急地问："到底发生了什么？"

"民国三十七年四月十一日，也就是一九四八年四月十一日，有人向警方报告，在安息路 13 号发生了一桩命案，欧阳家的儿媳妇安若云被杀死了。"

"若云死了？"我惊得差点从椅子上跳了起来。

叶萧淡淡地说："别激动，当晚警察就赶到了案发现场，在安息路 13 号的二楼房间里，发现了安若云的尸体，她的胸口被捅了一刀，当场刺破心脏死亡。在死者身边站着她的丈夫欧阳清远，他也浑身上下都是血，手里抱着一个襁褓中的婴儿。凶器是一把锋利的匕首，是在现场的地板上找到的。当时，死者的公公婆婆都回乡下了，是佣人们听到楼上传来打闹声，跑上来就看到少奶奶已经倒在了血泊中。"

"一定是欧阳清远杀了若云。"

"当晚，警察就把欧阳清远带回警局盘问，根据他的供词以及现场勘察的结果，基本上可以确定案发时的情况——四月十一日晚上九点，安若云准备和欧阳清远离婚，她要带着襁褓中的儿子离开欧阳家。但欧阳清远拦住了她，要把她关在二楼的房间里。但安若云已经下定了决心，她拿出了一把匕首，要欧阳清远放她们母子离开。欧阳清远不肯就范，他冲上去强夺安若云的匕首，两人在扭打的过程中，安若云被匕首刺中了心脏，当场就死亡了。"

听完了叶萧的讲述，我呆若木鸡地坐着。在那个停电的夜晚，我已经和小倩一起看到这一幕了，那鲜血是我永远都不能忘记的。

叶萧继续说道："不久以后，欧阳清远以误杀罪被判处了十年徒刑，但他被关进监狱几个月后，就因为暴病而死了。"

"暴病而死？也算是一种报应吧。"

"卷宗就记录到这里。因为国民党快倒台了，许多档案都失散了。"

我低下头想了想说："若云真是可怜啊，她想要争取自由，却死在了自己丈夫的手中。但更可怜的是她的儿子，从小就失去了母亲。我想那孩子后来一定被爷爷奶奶接走了，荒村公寓发生了这么可怕的事情，所以欧阳家也不可能再住下去了。他们一定是离开上海，带着小孩回到了荒村老家。"

想到这里，我心里突然一抖——照此推算，若云和欧阳清远的儿子家明，不就是我在荒村见到的欧阳先生吗？对啊，家明是一九四七年十二月出生的，到现在正好是欧阳先生的年龄。而在欧阳清远死后，家明就是家族惟一的继承人了，所以不可能再有第二个欧阳先生了。

离开档案馆时，天色已经暗了，叶萧又拉我吃了一顿晚饭。他还告诉我，春雨依然还在精神病院里关着，医生说她的精神分裂症很严重，可能要在里面关一辈子了。至于那个失踪的大学生苏天平，到现在还是毫无消息，生死不明，似乎是消失在了荒村的空气中。

叶萧劝我别再去荒村公寓了，其实我也忍受不下去了，但我已经答应小倩——永远都不能离开她。

晚上八点，我急匆匆地赶回了安息路。在荒村公寓的楼下，我看到二楼房间里亮着一丝微暗的光线。小倩一定已经回来了，我快步地跑上二楼，果然在房间里看到了她。

听到我的脚步声，小倩怔怔地回过头来，她身边点着一支幽暗的蜡烛，烛火映红了她苍白的脸庞。她的眼神是如此奇怪，让我一下子愣住了："你怎么了？"

但她并没有回答，而是举起了手里的一样东西——

刹那间，眼前掠过一道异样的光影，我立刻感到心头一阵狂跳。是的，我终于看清楚了，她手里拿着一支笛子。

那点幽暗摇曳的烛光，照亮了这支中国式的竹笛，它大约有四十厘米长，笛管涂着棕黄色的漆，笛孔之间镶着紫红色丝线，膜孔还贴着一层薄如蝉翼的笛膜。

我知道它来自何方。

小倩咬着嘴唇说："刚才，我在整理柜子里的东西时，发现了你藏在柜子最里层的盒子。我好奇地把盒子打开来一看，才发现里面是这支笛子。"

然后，她轻轻地抚摸着笛管，把它放到脸颊上碰了碰，似乎是久已相识的老朋友了。我颤抖着问："你认识这支笛子？"

但小倩并不回答，她将笛子交到了我的手中。

笛管是那样冰凉，一阵寒意立刻渗入了我的皮肤，仿佛又感受到了荒村那个寒冷的冬夜。我盯着那点烛光，在跳动的火苗里，我似乎看到了进士第的煤油灯光，看到了欧阳先生那瘦削苍白的脸。于是，在短短几秒钟之内，我把那一切都回忆起来了。是的，这是一段被遗漏了的记忆，是荒村留给我最后的纪念。

好了，现在是说出来的时候了。我深深地吸了一口气说："小倩，这支笛子来自荒村，是欧阳先生亲手交给我的。"

"为什么，他为什么要把这支笛子交给你？"

"那是好几个月前，当我决定要离开荒村，在进士第向欧阳先生告辞的时候。当时，他一下子变得非常伤感，他说他非常思念自己的女儿小枝，时刻都希望小枝能回到他身边，为此他愿意牺牲一切。忽然，欧阳先生从抽屉里拿出了一支笛子，将它交到了我的手里。他请我带着这支笛子，回到上海寻找他的女儿小枝，而小枝只要看到这支笛子，就会想起自己的父亲，回到荒村的故乡去。"

说完这些话后，我长出了一口气，似乎吐出了心中隐藏的最后一块石头。然而，小倩的眼神在烛光掩映下，却显得更加异样了："你找到小枝了吗？"

"我好像对你说过的，我找到了小枝就读的大学，他们告诉我小枝在一年多以前，就因为一次地铁事故而死了。我感到很伤心，便把这支笛子收藏了起来，一直放在我的箱底，不知怎么把它带到了这里。"

此刻，小倩的眼睛里闪烁着一股寒光，使我感到不寒而栗，她冷冷地问道："你会吹笛子吗？"

"会那么一点点。"

"那请为我吹一首曲子吧。"

我愣了一下，已经很久都没有吹过笛子了。我缓缓地将笛子举到唇边，幸好笛膜还是完好无损的。

停顿了片刻之后，我深深地吸进了一口气，先在胸腔里酝酿了几秒钟，便从嘴唇灌进了笛孔里。瞬间，笛管里飘出了《在那遥远的地方》

的旋律。那悠扬而缓慢的音符，在这狭小的房间里飘荡着，很快就充满了整座荒村公寓。

这黑夜中的笛声也刺激着小倩，她那双睁大了的眼睛不再露出诡异，而是充满了悲伤的目光，似乎笛声正为她倾诉某个伤心的故事。我想这笛声也一定飘上了夜空，飘过四周空旷的废墟，一直传到很远很远的地方，不知几百公里外的荒村能否听到。

当一曲终了时，我已经筋疲力尽了，整个身心都在笛声之中，许久才回过神来。而小倩也已闭上了眼睛，似乎笛声触碰到她内心最隐秘的那根弦。

我放下笛子，轻轻抓住了她的肩膀说："你怎么了？睁开眼睛啊。"

小倩的嘴唇颤抖着，似乎灵魂已经随笛声而飞出躯壳。终于，她缓缓睁开了眼睛，目光幽幽地直视着我，这副样子让我的心跳又加快了。

"我认识小枝。"

她用喉咙深处的气声说出了这句话。

瞬间，我像是被这句话击中了似的，立刻摇了摇头说："不可能，你不可能认识小枝的，她不是早就死了吗？"

"不，小枝没有死。"小倩的眼神又变得异常诡异，而语气也冷静得让人害怕，"她一直都活着，活在地铁里。"

"小枝活在地铁里？不，她是死在地铁里的。"

烛火又是一阵摇晃，小倩的脸色更加苍白了，再加上那副奇怪的眼神，简直就变成另一个人了。她直视着我的眼睛，幽幽地说："你还不明白吗？小枝是不会死的，她一直都在地铁车厢里，她穿着一身白色的长裙，留着披肩的黑发，发丝里散着一股淡淡的幽香。她拉着扶手，站在靠窗的位置，当地铁在黑暗的隧道疾驶时，车厢里柔和的光线洒在她脸上，这张白皙的脸庞会映在车窗上。此刻，除了小枝自己以外，没人会注意到那张脸的存在。她静静地看着自己的脸在车窗上时隐时现，那眼睛那嘴唇都是那样迷人，就像从《聊斋》故事里走出来的女主角。"

我战栗着听着小倩的话，眼前似乎浮现起了她描述的那一幕幕场景。我忽然觉得这一切，都是那么似曾相识了，我似乎也经历过那样奇特的体验。是的，当我站在地铁车厢里时，小枝就站在我的身后，她静静地看着车窗里映出的脸庞，时而是我的脸，时而又是她的脸，宛如一场梦幻……

"别说了——"刹那间，我打断了她的话。

"不，你让我说下去。"小倩仿佛已失去了神志，完全进入了被催眠的状态，似乎回忆已是她惟一的欲望了，"小枝一直在地铁车厢，伫立、徘徊、等待——她在等待哪一个人呢？是的，有时她会发现那个人的存在，这个年轻的男子就站在她身前，低垂眼帘看着车窗里映出的自己。他看上去略微有些疲倦，或许是因为昨夜未完成的小说使他烦恼。有时他的目光会与小枝的撞到一起，然而他却看不到小枝，他们甚至已经在拥挤的车厢里面对面了，眼睛只相隔几厘米的距离。可惜，他还是看不到小枝，但小枝却已经从他的眼睛里爱上了他。"

"那个人是谁？"我已经隐隐猜到了，但却不敢让自己相信。

但小倩已经听不到我的声音了，她自言自语地说下去："在暗无天日的地下铁中，小枝一直跟在那个男子身后，他坐到哪一站，她也跟到哪一站。有时她会跟着他走出车厢，在空旷的站台上徘徊。他喜欢去一家地铁中的书店，而她也跟着他步入书店。在书店里摆放着这个男子写的书，他常会来看看自己的书卖得如何。而她也会在书架间漫步，在四周无人的时刻，悄悄翻动他写的书。当夜晚地铁停止运营，书店下班关门以后，她就会独自留在书架前，彻夜阅读那男子写的小说。无数个这样的夜晚过去，小枝常常被他的文字所感动，有时会悄悄地流下眼泪，在书本的扉页上留下一滴嫣红的眼泪。"

在这凄凉的夏夜，烛光摇曳的斗室内，小倩委婉叙述着一个忧伤的故事，仿佛被某个幽灵附体了一般。

泪水悄悄地从小倩脸颊滑落，在烛火下发出晶莹的反光，她含着嘴角的泪珠说："直到有一天，她在那家地铁的书店里，看到了他在《萌芽》杂志上发表的小说，那是一部关于荒村的小说，男主人公深深地爱上了已化为幽灵的小枝。虽然，那只是一篇虚构的小说，但小枝的内心却感到了深深的悲伤，她几乎每天都能见到他，然而他却只能在小说里寻找对方的幻影。不，小枝一定要让他见到自己，使他在小说中虚构的感情，成为现实中的爱。"

此时，我已被小倩深深地打动了，情不自禁地问道："他见到小枝了吗？"

小倩忽然睁大了眼睛，她盯着我说："当然，他当然见到小枝了，而且还彼此相爱了。"

沉默，烛光下的我陷入了长久的沉默。

不，我不敢相信她刚才说的话，那究竟是小倩的臆想，还是真的幽灵的自述？我缓缓伸出手，为她抹去了脸上的泪水，她的泪珠是那样温热，如果放到嘴里一定是苦涩的。

小倩终于闭上了眼睛，像是浑身虚脱了般倒在床上，嘴里却喃喃地说着："对不起……对不起……"

我也支持不住倒在床边，耳边总回响着小倩刚才说的那些话。然后，我吹灭了蜡烛，上三楼睡觉去了。

这一晚，我终于梦到了小枝。

第二十五天

上午，我很晚才醒了过来，发现小倩已经离开了荒村公寓，应该是去冰淇淋店上班了。

吃完早饭，我独自坐了一会儿，昨晚小倩对我说的那些话，究竟是什么意思呢？她说她认识小枝，会不会是在小枝死以前，她们就已经认识了。或者，小倩具有某种特别的能力，可以穿过时空看到过去的事物？不对，那不就和这玉指环一样了吗？我记得刚认识小倩的时候，她总是在地铁中出现，所以才会对地铁中的感受，描述得如此详细吧。

我设想了无数种可能性，但又被我一一地推翻。最后，我决定去追查一下有关小枝的情况。

当几个月前，我刚刚从荒村回到上海时，曾经去小枝就读的大学找过她。结果却被告知小枝早在一年多前，就死于一起地铁事故。据说是在地铁列车进站时，她掉下了站台，不幸当场身亡。但那次因为时间仓促，我只问到了学校的教务处，而现在我要去找小枝的同学。

下午，我赶到小枝读过的那所大学。几经打听，我找到了小枝生前住过的女生寝室楼。但楼下看门的老太太不让我进去，幸好我认识那所大学的一个老师，在他的帮忙说情下，我找到了小枝生前的寝室。

寝室里有三个女孩子，一个长发，一个短发，还有一个染着金发。我先向她们作了自我介绍，她们立刻嚷了起来，原来她们也看过今年四月份发表的《荒村》。长发女孩先叫了起来："你真的见到过小枝的幽灵吗？"

我无奈地摇了摇头说："那只是小说而已，你们不要当真。"

接下来，她们又问了许多有关小说《荒村》的问题，我只能全都解释为虚构。最后，我实在等不及了，便打断了她们的问题："好了，我今天来是想打听关于小枝的事情的。"

短发女孩问道："你真的不认识小枝？"

"我已经说过了，我只知道小枝的名字，我甚至连她长什么样都不知道。"

"好吧，小枝是我们的同学，也是我们的室友，对于她的死我们都很难过。"说话的是将头发染成金色的女孩，她低着头回忆说，"记得在三年前，我们大一开学，刚来学校报到时，就发现我们中有一个很漂亮的女生。虽然是从偏僻的乡下来的，但身上却丝毫没有土气。她说她的名字叫欧阳小枝，真是一个令人羡慕的名字啊。"

"能不能说得详细点，她是怎样的一个人呢？"

长发女孩接过了话题："也许，是因为小枝天生的气质就与众不同，她给人一种可望而不可即的感觉。很多男生都暗暗喜欢她，说实话这让我们都很嫉妒，但好像没有一个男生能被她正眼看过。在面对男生的时候，她总是冷若冰霜的样子，还把好的机会让给我们，这可不是一般的女孩能做到的。"

"那么，平时她和你们是如何交往的呢？"

"小枝是一个很好的女孩子，她的善解人意常常让我感到很惭愧。只是她总是像在思考什么问题，所以看上去显得十分内向。其实，在寝室里她也尽量和我们一样说话，有时候并不觉得她有什么怪的地方，只是她的眼神确实有股不食人间烟火的味道。"

"不食人间烟火？这不成《聊斋》了吗？"我忽然想到了小倩。

短发女孩说话了："是的，她的眼神总是和别人的不一样，无论她怎么向我们靠拢，都无法去掉她身上那种气质。而且她很喜欢看古书，比如像《聊斋》啊,《阅微草堂笔记》啊,《乐府诗集》啊,《搜神记》啊、《红楼梦》啊，嘴里时不时会蹦出几句《红楼梦》诗句，我们都说她是天生的中文系学生。"

话音未落，染头发的女孩抢着说道："但更奇怪的是，小枝经常说她能梦到一些奇怪的东西。有一次，我们寝室楼后面在施工，她就说自己做了一个梦，梦里有一对男女殉情自杀。果然，几天后从地下挖出来一对男女的骨骸，据说已经埋了七十多年了。还有啊，她经常说她梦见一个女孩，躲在女生厕所里哭泣，害得我们半夜都不敢上厕所。后来我们才知道，几年前有一个女生在厕所里自杀了。"

"也就是说她能够在梦中见到幽灵？那你们害怕吗？"

"当然害怕啦，想想在自己身边躺着一个能见到鬼的女巫，你能不害怕吗？所以，到后来我们都躲着她，每次上厕所都只有她一个人，因为别人都不敢跟在她旁边。我们有时甚至不敢回寝室睡觉，就连她用过的东西也很忌讳。有一回她翻了翻我的一本书，后来我不敢再看那本书了，便把它悄悄地烧掉了。小枝知道这件事以后很伤心，偷偷地哭了好几回呢。哎，现在想想我真对不起她，可再内疚也没有用了。"

我也叹了一口气，为小枝感到伤心。"没错，你们这么排斥她，把她当成女巫一样的怪物，一定会使她很伤心的。"

长发女孩插话说："就在她出事之前的几天，她说她每晚都会梦见地铁，梦见她穿梭在地铁车厢里，随着地铁一直飞驰下去。可没想到几天之后，她竟然真的在地铁里出事了……"

说到这里，她忽然哽咽了。短发女孩搂着她的肩膀说："是的，我们从来没想到过她竟然会死，想想她活着时候受的气，我们当时都吓呆了，也都感到深深的忏悔。在她死后最初的几个月，我们每晚都开着灯睡觉，生怕她的幽灵会来找我们报复。当然，不会有什么幽灵的，而且小枝也不可能是那种人。她是那样善良而温和，从来不会伤害到任何人——除了她自己。"

看着她们伤心的样子，我只能安慰着她们说："你们不要再自责了，小枝也不想看到自己室友们难过的样子。也许，这一切都已注定了吧，小枝与这个世界是格格不入的，悲剧的种子早已种下了。对了，你们有小枝的照片吗?"

"我还有几张。"

染发女孩回头从包里翻出了一沓照片，好不容易才找出了几张。我接过小枝的照片一看，瞬间就像被人重重地打了一拳似的。

——她分明就是小倩。

我立刻揉了揉眼睛。不，我绝对没有看错，照片非常清晰，小枝（小倩）穿着一条白色的长裙，苗条细长的身材，披着一头乌黑的长发。她那迷人的脸庞、下巴的线条、面孔的轮廓，还有那双幽幽的眼睛和眼中闪着的淡淡忧伤的目光，都和小倩没有任何差别，她们根本就是同一个人啊!

这究竟是怎么回事啊? 难道小枝有双胞胎姐妹吗? 不，孪生姐妹也没有如此相像的。我轻轻地抚摸着照片上的小枝（小倩），双手都在颤抖着，甚至那枚玉指环也隐隐收紧了起来。三个女生都看出了不对劲，她们问我："怎么了？"

我只能尴尬地笑了笑说："没什么。我能把这张照片带回去吗？"

染发女孩耸了耸肩："好吧，没问题。"

"谢谢。"

我立刻把照片塞进了包中，在谢过了她们之后，便匆匆跑了出去，离开了这所大学。

当我赶回荒村公寓时，已经是满天星斗了。我一路小跑着上了二楼，重重地推开房门，才发现小倩已经在等着我了。

房里依然亮着幽暗的烛光，她回头冷冷地看着我，却一个字都不说。我就这样与她对峙了片刻，然后从包里掏出了那张小枝的照片。我把照片交到了她的手里说："这个人是谁？"

她低头看了看照片，面无表情地回答："这个人就是我。"

"让我来告诉你——她的名字叫小枝，在一年多前就已死于地铁事故了。"然后，我向前跨了一步，面对着她的眼睛问，"那你又是谁？"

她的眼神终于柔和了下来，轻声道："我的名字叫欧阳小枝。"

欧阳小枝？尽管已经有了一些心理准备，但我还是一下子愣住了，我不敢相信这个可能性会真的成为现实，也不敢相信眼前这女孩早已经香消玉殒了。

"不，不要这么说，这只是你的臆想而已，你的名字叫聂小倩，你是从蒲松龄先生的《聊斋》里跑出来的。"

然而，她痛苦地摇了摇头，露出歉疚的表情："对不起，我从一开始就骗了你，或者说是我骗了我自己。我的名字叫欧阳小枝，但我一直在努力忘掉自己的名字，忘掉自己的过去，忘掉我的故乡荒村。我想要有一个全新的生活，所以要有一个全新的名字，这个名字就是聂小倩。我希望我成为聂小倩，因为她曾经是世界上最悲惨的女子，但在她认识宁采臣之后，便成了最幸福的女人，而你就是我的宁采臣。"

"成为聂小倩？如果我记得没错的话，聂小倩本是一个死去的女子，后来因为爱而获得重生的机会。"

她终于微笑着点了点头："是的，这就是我的梦想。"

"不，那只是小说而已，不可能成为现实的。"

"是的，直到昨晚我才明白，小枝就是小枝，小枝永远都不可能变成小倩。"说到此时，她又哽咽了。

忽然，我嘴唇颤抖着问道："你——真的是小枝？"

"对，我就是欧阳小枝，我的父亲叫欧阳家明，我出生在一个叫荒村的地方。我们家有一所古老的大宅子，有许多奇怪的传统和规矩。在我很小的时候，我的母亲就去世了。父亲独自把我养大，我知道他非常爱我，一直把我当做他的骄傲。可是，在我的心底里却并不喜欢我的故乡，荒村是如此与世隔绝，风俗又是如此保守，生活在那种地方是不会有前途的。我从小勤奋读书的原因，就是为了有朝一日能离开荒村。终于，我考上了上海的大学，我决心来到上海以后就不再回荒村了，我要永远摆脱荒村的阴影，在城市里自由地飞翔，寻找属于自己的天地。"

"是啊，你完全能够做到的。"

她深深地吸了一口气："我一度以为我的前程似锦，以为我能够和同学们成为好朋友，能够完全融入这个社会。但我很快就发现我错了，我从骨子里就和他们不一样，我是那般与众不同，无论我如何努力地改变自己，却总是与外界格格不入。于是，我越来越忧伤了，经常梦到一些奇怪的事情，而这些事情往往又会变成事实。我的同学们都说我能见到鬼，说我是个诱惑人的女巫，她们都不敢和我说话，时时刻刻都躲着我，经常让我一个人留在寝室里过夜。不管我表现得如何友善，不管我的学习成绩如何好，都无法改变她们对我的印象。"

"我能够理解，你一定非常痛苦吧？"

"当然痛苦，可我又能怎么办呢？我并不恨我的同学们，我从不恨任何人，我只恨我自己，为什么生在荒村，为什么生在欧阳家！于是，我把怨恨放在了父亲身上，父亲经常给我写信，但我却从来不回信。无论父亲怎样哀求，每年寒假暑假我都不肯回荒村，我是那样铁石心肠，一心一意要忘掉荒村。父亲来信曾几次提到荒村的秘密，他要我在放假时回家一次，以便将荒村的秘密全都告诉我。"

我立刻着急地问："他没有在信中告诉你吗?"

"没有，父亲一定要亲口告诉我。但我已经下定决心不回荒村了，所以我一直都不知道家族的秘密是什么。"她痛苦地摇了摇头，眼睛闭了起来，"后来，我渐渐发觉只有在地铁车厢里，我才能感觉到自由，当地铁列车在黑暗的隧道中狂奔时，我感到自己的心也一起飞了起来。惟有此时我才是无拘无束的，没有那些指指点点的目光，没有荒凉的故乡的阴影，天地间只剩下我自己在翩翩起舞。"

"后来就在地铁里出事了?"

"我不知道那算是什么，一点都不疼，只觉得自己高高地飘了起来，然后就到了一个完全黑暗的世界。"在烛光闪烁之间，她是如此平静地叙述，就好像在说一件日常生活的事，"那只是一瞬间的感觉而已。后来不知道过了多久，我忽然醒了过来，发觉自己正躺在黑暗的站台下。于是我缓缓地站了起来，感觉自己还和过去一样，我在站台里徘徊着，却没有人能够看到我。列车飞驰着进站了，我跟随着人流走了进去，站在拥挤的车厢里，依然没有人看到我。从此以后，我就一直在地铁间穿梭着，每天都由飞驰的地铁列车带着我，穿梭在这个城市的地下世界。"

"你在地下来回旅行了一年多的时间?"

"是的，后来我认识了你，喜欢上了你的小说。我本来已经快要忘记我是谁了，可在读了你的小说《荒村》以后，我渐渐回忆起了一些东西。于是，我通过各种方式找到了你，而且还要让你看到我的样子。"

"可你是怎么做到的，为什么我过去却看不见你呢?"

"因为，只要你心底想着我，那你就会看见我。"

"我明白了，所以你才会先给我发 E-mail，然后又打电话骚扰我。"我同时也明白了，当时在地铁里为何会有被跟踪的感觉，为何一见到她就联想到了《聊斋》，因为她已经让我在心底想着"聂小倩"了，"是的，你做到了，当你还叫聂小倩的时候。"

"现在，我只能说谢谢你。谢谢你这些天来一直和我在一起，谢谢你让我感受到了一些特殊的东西。"

我忽然傻乎乎地问："那是什么东西？"

"你还不明白吗？"

其实，我已经明白了，那是——爱。

"小枝——"

我终于叫出了这个名字，这两个字已在我喉咙里酝酿许久了。

"谢谢，谢谢你。"小枝也点了点头，泪水已经模糊了她的眼睛，"对不起，现在我已经回忆起了一切，我已经不再是你的聂小倩了，而是古老的欧阳家族最后的继承人欧阳小枝。"

"不，无论你是聂小倩还是欧阳小枝，我都依然爱着你。我不是答应过你的吗？我永远都不会离开你，永远都不会让你感到孤独。"

泪水缓缓溢出了小枝的眼睛："那是你对聂小倩的承诺，但聂小倩已经不存在了。小枝不需要你的承诺，小枝现在已经明白了，我和你是两个不同世界的人，你有你生存的空间和未来，我也有我生存的空间和未来，我们俩就像是两条平行的直线，永远都不会有交汇的那一天。"

"小枝，现在你不是在和我说话吗？"我一把抓住了她颤抖着的手，"你看啊，你不是实实在在的吗？你不是另一个世界的人，我们可以在一起的！"

"那只是你的感觉，这一切并不是真实的，对你来说这都是一场梦。聂小倩是一场梦，欧阳小枝也是一场梦，整个荒村都是一场梦。"

刹那间我傻眼了："梦？"

"是的，就当做了一场关于恐惧和爱情的梦吧。"她缓缓靠近了我，嘴唇贴着我的耳边说，"对不起，非常对不起。我现在已经明白了，欧阳小枝已不属于这个人间了，她只属于荒村的世界，而深爱着小枝的父亲，正在进士第古宅里等着她呢。"

"别，你别走……"

不知不觉我的眼眶也湿润了。

但她的语气是那样决绝："小枝要回到故乡去了，小枝要去和父母团圆。小枝会永远记住你的。"

我只感到一阵天旋地转，随后她紧拥着我说了一声：

"永别了。"

几秒钟后，她突然放开了我，迅速转身向门外走去。

不——我赶紧跟在她后面，但黑暗的走廊里什么都看不清，我只能大声地叫着她。

但我的小枝已失去了踪影。

我连忙跑回房间，取出手电筒寻找小枝。我先冲到底楼看了看，又冲出了荒村公寓的后门。在外边空旷的工地废墟上，一个人影都看不到，惟有天上新月如钩。

在废墟上我大声喊叫着，直到嗓子都喊哑了。我又在周围转了一圈，最后跑到了安息路上，依然什么人都没有看到。折腾了十几分钟，我终于傻傻地坐在了路边，绝望地抬起头来。

不知为什么，我忽然想起了李商隐的《锦瑟》——"此情可待成追忆，只是当时已惘然"。

小枝，我还会见到你吗？

第二十六天

小枝离开以后，我一直在废墟边坐到了半夜，才回到荒村公寓二楼睡下。上午，我悠悠地醒来，还是习惯性地叫着"小倩"，直到整栋房子都传出我的回音，才想起了昨晚发生的一切。

　　她真的走了吗？

　　我立刻打开了柜子，但里面已找不到任何她的东西了，就连一丝痕迹都没留下来。这时，我才发现那支从荒村带来的笛子不见了，我翻遍了房间都没找到，显然已经被她带走了。

　　对，就是那支笛子，当我吹响笛子的时刻，她便在瞬间想起了一切。也许，这也是日夜思念女儿的欧阳先生，托我把笛子转交给小枝的原因。因为，这支笛子里蕴涵着荒村古老的情感，只有它才能让小枝从梦中醒来——魂归故里。

　　这就是欧阳先生交给我的使命。

　　但可悲的是，我完成使命的同时，也就永远失去了小枝。是我从茫茫人海中找到了小枝，或者说是小枝从茫茫人海中找到了我。又是我使她从臆想中找到了记忆，从而与我生离死别。

　　这是多么矛盾，又是多么可惜。

　　可是，从一开始就注定了，小枝并不属于我们这个人间，我们是两个不同世界的人，是绝对不可能在一起的。所以我们只有分离，没有其他的结局，这是人与灵之间，亘古不变的悲伤。

　　整整一个上午，我都深陷于痛苦之中，却没有丝毫办法可以解脱。忽然，我举起了自己的左手，才发现玉指环还戴在我手上。我立刻伸手想要拔掉它，但拔了半天还是拔不掉，我又痛苦地坐下了。

　　突然，我想到也许我还有第二个使命，那就是把这枚玉指环送回到荒村。它是欧阳家族世代相传的圣物，谁侵犯了它都会遭到诅咒的。所以，我现在惟一能做的就是把它送回去，物归原主，完璧归赵。

　　不管玉指环能否从我手指上脱下来，我都应该去试一试，至少我的心是诚实的。而且，那些从荒村带出来的玉器，还在三楼的箱子里呢，它们也应该回到荒村的地下去。

　　或许——我还能见到小枝？

正当我沉思的时候，忽然听到楼下传来一阵脚步声，我急忙跑了出去。在底楼的大厅里，我看到了两个戴着安全帽的民工，原来他们是拆迁施工队的，他们说这栋房子明天就要拆除了，叫我今天赶快搬出去。

等民工们走后，我心里变得更加沉重了，抬头看着大厅的天花板，似乎听到了某种深深的叹息。是啊，这座建于三十年代的建筑，明天就要被夷为平地了，那些曾经生活在这里的人们，他们在地下的灵魂是不会安息的。

我无奈地摇了摇头，跑上二楼整理了一下东西。然后又到三楼，爬上天花板上的阁楼，把那个装着玉器的箱子搬了下来，还有当年若云留下来的照片和书籍，它们不应该就此毁灭。

一直忙碌到下午三点，我终于把所有的东西，都一一打包收拾好了。我打电话叫了一辆出租货车，把这些东西带回了我原来的家。

当我离开荒村公寓的时候，天空忽然飘起了雨丝。我凝望着这座暗绿色的建筑，它就像一个行将就木的老人，在凄风苦雨中孤独地挣扎着。爬山虎的叶子在墙壁上颤抖，它们是否也知道了明天的厄运呢？

永别了，荒村公寓。

第二十七天

昨天，我回到了自己的家里，玉指环依然牢牢地套在手指上。我的精神还没有从荒村公寓中走出来，甚至仍然保留着开灯睡觉的习惯。

　　清晨醒来时，我再也闻不到那爬山虎的味道了。忽然，我有些想念那藤蔓间的气息了，也许它们已经化为灰烬了吧。

　　下午，我来到了地铁车站里，在忙碌的人群中我缓缓穿梭着，扫视着无数张陌生的脸庞，期望能有奇迹出现。是的，在站台和车厢的每一个角落，都曾经留下过她的脚印，在地下书店的每一个书架，也都曾经留下过她的影子。然而，游荡了两个多钟头，我什么都没有发现，倒是引来了地铁保安的警觉。

　　我只能离开了地铁，在陕西南路上没走几步，就看到了那间冰淇淋小店。对，我曾经就站在这个位置，隔着马路的车流凝望着柜台里的她。我立刻跑过了马路，冲到了冰淇淋小店前，才发现柜台里是一个陌生的高个子女孩。好在现在柜台前没什么人，我连忙问她："对不起，这里有没有一个叫聂小倩的女孩？"

　　她愣了一会儿说："我从没听说过这个人。"

　　"也许你不知道她的名字。"然后，我把小枝（小倩）的长相和特征详细地说给了她听。

　　高个子女孩还是摇了摇头："我们这里没有这样的人。"

　　这时，从小店里又走出一个染着红发的女孩，我又把同样的问题对她说了一遍。红发女孩耸耸肩回答："我们店开张才一个月，只有我们两个人在这儿打工，并没有第三个人啊。"

　　这怎么可能呢？难道是我认错店了，我又后退几步看看店名，又看了看周围的店铺。没错，肯定是这家店，我记得我还在这个柜台前买过冰淇淋，当时小枝（小倩）就站在柜台里啊。

　　我又继续把自己的疑问说出来，但柜台里两个女生都连连摇头，说绝对没有第三个人在这里打过工，而我所说的小枝（小倩）她们也从没见过。最后，她们说我影响店里的生意了，要是再不走就要打110了。

　　万般无奈，我只能离开了冰淇淋店。独自走在人流如织的街头，心中却已乱作了一团，刚才那两个女孩子，实在不像是骗人的样子。可是小枝（小倩）在柜台里打工，这一幕又是我亲眼目睹的——难道我所见到的并不是真实的，而只是电影一样虚幻的影像？

不，我一定要弄清楚，至少还有一个人见到过小枝（小倩），他就是我的表兄叶萧警官。

晚上，我急匆匆地赶到叶萧家。我总是这么突然造访他，而他又实在不好意思对我发作，只能关切地说："你从那鬼地方搬出来了？"

"是的，因为那栋房子今天就要拆了，可能现在已经成为废墟了吧。"

叶萧终于微笑了起来："还是早点拆掉的好啊，怎么样？感觉好点了吧？"

"不，我的感觉更糟了。"

"又发生什么了？"

我想是时候说出来了："小倩离开我了。"

"小倩？"叶萧皱起了眉头，似乎在努力地回忆，"你好像提到过，有一个自称聂小倩的人经常骚扰你，但我从来没见到过她。"

"你忘了吗？你见过她的，上次在地铁车站里，我请你帮我抓住那个跟踪我的人。"

叶萧沉默了片刻："我当然不会忘记，那次你说有人在地铁里跟踪你，所以我帮你去抓那个人。那天我确实去了地铁车站，在站台里守候了一个多小时，却没有发现任何可疑的对象。当时我还有些公务，就向你打招呼先走了，并没有发现什么跟踪者啊！"

"什么？"我的嘴巴都有些变形了，张口结舌地说："不可能，绝对不可能。当时，你不是很快就发现，有一个年轻的女子在盯着我吗？当她跟着我走上地铁大厅时，你就冲上去要抓住她，而她则拼命地向前跑，结果就被我抓住了。"

"你疯了吗？我不记得发生过这样的事。"叶萧也很惊讶，他拍拍我的肩膀说，"是不是这几天太紧张了，以致出现了记忆幻觉？"

"记忆幻觉？"

我忽然捂住了自己的嘴，不敢再想下去了。

"以为自己见到过什么特别的人，或者经历过什么特别的事，实际

227

上这些人和事都不存在，只是你自己的臆想而已。"

我举起了自己的左手，难道是因为玉指环？不可能，因为当时我还没有戴上它呢。

难道真的是我的记忆出现了偏差，还是小枝本来就是一个幻影？

此刻，耳边仿佛响起了小枝的话：

"只要你心底想着我，那你就会看见我。"

是啊，在我亲眼见到小枝以前，先经过了 E-mail 和电话的交流，使"聂小倩"这个人深深地映在了我的脑子里。所以，当她以"聂小倩"的身份出现时，我就会看见她，因为我心底想着她。同时，也只有我一个人能看见她，而对于其他人来说，她只就是一团不存在的迷雾。

现在，我一切都想明白了："小枝，只要我心底想着你，那我就会看见你。"

叶萧不明白我的意思："你在说什么？"

我感到自己像虚脱了一样，摇了摇头说："没什么，谢谢你，叶萧。"

辞别叶萧后，我迅速地回到了家里，收拾起了行装。

此刻，我摸着冰凉的玉指环，下定决心——明天一早就启程前往荒村，无论有什么危险，都要完成我的使命。

第二十八天

我第二次踏上了前往荒村的旅途。

清晨，我带着一箱重要的行李，登上了开往 K 市的长途大巴。看着车窗外夏日江南的田野，似乎一切又都回到了原点，只是换成了不同的季节。记得第一次去荒村的时候，心里是忐忑不安的，而更多的则是兴奋和好奇。但现在经历了这么多事以后，我的心情已变得异常镇定，因为这一次的旅行，是去做我必须要做的事。

下午我抵达了 K 市汽车站。然后，我马不停蹄地坐上开往西冷镇的中巴，在两个多小时后到达了目的地。已经是黄昏时分了，我草草地在西冷镇上吃了顿晚饭，便连夜步行赶往荒村了。

上次去的路还记得很清楚，而且我已作足了各种准备，所以走起来并不十分吃力。在这夏夜的荒山野岭上，到处都充满了咸涩的海风，我连续走了几个小时，终于翻过了最后一座山头。黑夜里一片大海展现在眼前，在山坡下坐落着一片黑乎乎的村落，村口的贞节牌坊在月光下依然醒目。

荒村，我又来了。

忽然想到二十多天前，当四个大学生走到这里时，他们是怎样的心情呢？至少不会想到厄运在等着他们吧。

先让自己的心情平静下来，然后我摸了摸那枚玉指环，轻声地说："你到家了。"

穿过巨大的贞节牌坊，我摸黑进入了荒村。

虽然是夏天，但村中巷道的气氛还是那样肃杀，周围没有一丝人气，我凭记忆摸到了进士第的大门口。在清冷的月光下，曾经威严的宅门静静地矗立，露出一股将要死亡的气息。是啊，从今往后这栋古老的宅子，再也不会有活人居住了，它将成为一座死宅。

屏着呼吸，我轻轻地推了推大门，果然是虚掩着的，大概平时村民们也不敢进去吧。我蹑手蹑脚地走入了进士第的第一进院子，然后打开了手电筒。

手电筒的光束带我进入了大厅，照亮了写着 "仁爱堂" 三个字的匾额，下面还是那幅古人的卷轴画像。这里还是和我上次所见的一样，感觉令人压抑窒息。

我进入了第二进院子，月光洒在寂静的小院中，仿佛回到了另一个年代。我悄然走上了旁边一栋木楼，打开了其中一个房间。光束在厚厚的灰尘间扫来扫去，忽然扫出了一台电脑，旁边还有台电视机，但它们都积着灰尘，看来很久都没用过了。这房间的摆设和城市里的差不多，看来是小枝住过的闺房。

心里顿时涌起了一阵淡淡的哀伤，我轻轻地呼唤了声："小枝。"

静静地等了几分钟，四周并没有任何动静，虽然知道这是徒劳的，但我心里还是希望奇迹的出现。

不，奇迹不会再有了。

我悄悄地走下了这栋小楼，又来到了后面那栋楼上。几个月前的冬天，我就住在这栋楼上的房间里。推开那扇熟悉的房门，里面显得有些凌乱，我知道那四个大学生也曾经住在这里。在手电筒幽暗的光线里，映出了那张四扇朱漆屏风，看着那几幅依然栩栩如生的画面，我不禁轻叹了一声。

离开了这栋小楼，我又去了进士第古宅的后院。在这荒凉的古花园里，最显眼的是月光下的梅树，舒展着枝丫伸向夜空。我缓缓走到那口古井边，只向井口里看了一眼，黑暗中什么都看不清，只感觉一股凉意直冲面门——底下应该就是典妻的葬身之所了。

也许，这是一栋罪恶的宅子。

回到了第二进院子里，我高高地举起了自己的左手，玉指环在月光下发出奇异的反光，我想时候到了。

我整理了一下旅行包，从中拿出了一些必要的工具，此外还有那个大箱子。然后，我带着这些东西，打开了底楼的一扇房门，手电光束照出了一张大床，这应该就是欧阳先生的房间了。我绕到房间最里面，果然发现墙上有一道暗门，看来霍强他们走时没来得及用砖堵上。

我小心翼翼地跨入暗室，又用手电筒往地下照了照，立刻显出了一级级地下台阶。就是这里了，我深吸了一口气，一步步走下地道。

也许，是因为暗门已被打开的缘故，地下甬道里显得很潮湿——从保存文物的角度来看，这并不是一件好事。大约向下走了十米，果然出现了那扇大石门，不过门锁已经被钳断了。我在地上找到了那把锁，是我们小时候很常见的那种锁，我想欧阳先生曾经进出过这扇门，所以才会使用这把锁。

走进石门，里面是一条长长的地道，因为已经有了心理准备，所以我走得非常快，几分钟就抵达了地下大厅——神秘的荒村地宫。

忽然，我感到自己的左手传来一阵灼热，那是玉指环的作用吧。但我强行忍住了，先用手电筒照了一圈地宫，似乎一眼看不到尽头。在靠墙一边的地面上，我发现了十几件零散的玉器。对，它们都应该是良渚时代的玉器，我立刻打开了那个大箱子，从里面小心地取出了那五件玉器。

现在，这些玉琮、玉璧和玉钺，终于团圆在了一起，就像回到了五千年前的良渚古国，它们或许应该永远留在地下。

手电光束又照到了墙上的小门，这就是地宫密室的门了吧？我用手摸了摸，果然是用玉石材料做的。我轻轻推开玉门，弯着腰进入了这间密室。

密室大约十平方米大小，高度只能让我低着头。我用手电筒扫了一圈，发现地上有一个盒子。我立刻半蹲下来，用手电筒仔细地照了照，这盒子也是用玉石雕成的，应该就是那个玉函了。

玉函的盖子上原本是有封泥的，但可惜被霍强打碎了。我想每当欧阳家族打开玉函，再把里面的东西放回去后，都会在盖子上留下新的封泥，表示某年某月由某人封存。

而我手上的玉指环，原本应该保存在这玉函里的。

沉默片刻后，我小心翼翼地打开了玉函，里面依然是空空如也。

面对着这个空盒子，我感到有些茫然了，脑子里一片空白，不知道自己还能做什么，或是承认现实无能为力？

忽然，我感到左手无名指越来越灼热了，在手电光束照射下，玉指环发生了某种细微的变化，那块腥红色的污迹分外鲜艳起来，这是四千多年前一个渴望爱情的女子的血啊。

我几乎无法控制自己了，左手情不自禁地伸到了玉函里。几秒钟的灼热之后，我惊奇地发现，玉指环开始滑落了下来。

　　天哪，它能够动了。

　　几乎是一眨眼间，玉指环便从我的手指上滑了下来，轻轻地落到了玉函内。我的右手依然抓着手电筒，怔怔地看着这一幕的发生。这枚四千多年前的玉指环，已经在我的手指上戴了十天，我曾经想尽了办法也无法脱下来，现在却如此轻而易举地掉了下来。而在我左手的无名指上，所有奇怪的感觉都消失了，光滑的手指又恢复了原样。

　　看着玉函内的玉指环静静地躺着，在手电筒照射下发出暗暗的反光，我忽然明白了——这里就是玉指环的家啊。是的，玉指环曾使我产生幻觉、痛苦和绝望，但它在我身上所做的一切，都是为了回家的这一刻。

　　是的，玉指环回家了。

　　我忽然感到一阵轻松，似乎这十几天来所有的恐惧，都随着这枚玉指环的滑落而消失了。然后，我小心地关上玉函的盖子，把它放回到密室的角落里。

　　再见了，玉指环。

　　我低下头退出了这间密室，再重新把玉石门关好。终于，我长出了一口气，我知道我已经完成了使命，所有被掠夺走的东西，现在都已物归原主，完璧归赵了。

　　就当这一切都没有发生过吧。

　　在走出地宫以前，我又把手电筒向里照了照，只有一团阴冷的黑雾飘荡着。我试着朝地宫深处走了几步，发现这地下空间实在是太大了，宛如地下的采石场一般。

　　忽然，手电筒光线里出现一片青色的寒光，我急忙向前走了几步，终于抵达了地宫的最深处——那是一面巨大的石壁，表面凹凸不平，有许多人工开凿的痕迹，那奇异的青光就是从这里反射出来的。

　　我小心地举起手电筒，对准了石壁上那些青色的部分，再用手指仔细地摸了摸，一股冰凉的感觉渗入了体内。瞬间，我已经惊讶得发不出任何声音。我发现了什么？

——玉。

是的，我发现了地下的玉矿，巨大的石壁就是玉石矿床，我粗略地估计了一下，起码有五十多米长，矿床上还有被大量开采的痕迹。也许整个宽阔的地宫，都曾经是玉矿的一部分，因为长年累月的开采，才形成了这么大的空间。

绝对不会看错的，这些天来我与玉器朝夕相处，已经成了半个玉石专家了，这样的地下玉矿真是令人叹为观止。

忽然，我想到了孙子楚说过的问题，也就是五千年前的良渚文明，所使用的玉石材料究竟从何而来？这是一个长期困扰史学界的问题。现在，我想我已经找到答案了——就在我的眼前。

我一下子全都明白了——在五千多年以前，良渚古国的创建者们，在今天的荒村登陆定居。不久，他们就在我脚下的这个地方，发现了巨大的玉石矿床。于是，他们在这里大量开采玉石，然后利用玉器的神秘力量，进入太湖流域建立了古玉国，也就是今天所说的良渚文明。今天，我们所见到的神秘的良渚玉器，其原材料都是从这里开采出来的，欧阳家族的祖先们，利用这处宝贵的玉矿资源，创造了高度发达的玉器时代文明。

四千多年前，良渚文明因为种种原因而毁灭，幸存下来的古玉国王族们，之所以逃到荒村这个地方，是因为这里有着他们最重要的宝藏——玉矿。

对，这也是数千年来，欧阳家族一直隐居在荒村的原因，他们所要保守的秘密，实际上就是这地下的玉矿。它被视为祖先留下来的财富，是任何人都不能侵犯的圣地。

——这就是荒村最后的秘密。

实在没有想到，我竟然以这种特殊的方式，破解了一个重大历史之谜。曾经有多少历史学家，研究了一辈子都没弄明白的问题，居然被我发现了。但为了这个秘密，付出的代价实在太大了。

面对五千年前古人开采的玉矿宝藏，我深深地鞠躬致意，因为这座远古玉矿，正是人类征服自然迈向文明的第一步。

我又想到了良渚文明的种种传说，还有欧阳家祖先的神秘来历，也许他们真的不是人类？也许这一切都和这地下的玉石有关吧？就像能让我看到过去的玉指环。

难道这玉矿里埋藏着某种神秘的自然元素？

想到这里，我从地上捡起了几块玉石碎片，可以把它们带回上海作科学检验，或许会有震惊世界的重大发现？

然而，在犹豫了几十秒钟以后，我又把这些碎片放了回去。不，我没有权利带走它们，还是让秘密深埋在地下吧，永远都不要再打扰它了。

我什么东西都没有拿走，便匆匆地离开了这里。在手电筒光线的指引下，我走出了巨大的地宫，回到了地下甬道里。在经过那扇石门的时候，我又把门重新关上了，尽量不让外面的空气进入。

走上陡陡的石头台阶，我终于回到了地面上。跨出房间内的暗室后，我从地上拾起那些砖头，重新把那道暗门封上了。然后，我又把那张大床移到暗门前，完全把它给掩盖住了，但愿不要再有人发现它的存在了。

回到院子里，我贪婪地呼吸着外边的空气，月光重新洒在我身上，就让这坟墓永远封闭吧。

此刻已是子夜十二点了，看来今晚是走不了了。我走上了后面那栋小楼，来到我曾经住过的房间里。这是我在荒村的最后一夜，我匆匆擦了擦那张木榻，便裹着一条毯子睡在上面了。在这黑暗的古老房间里，我许久都不能入睡，期望后半夜的某一刻，小枝会突然出现在我眼前。

小枝，你会来吗？

第二十九天

小枝并没有出现。

我熬了整整一夜，静静地等待着奇迹的发生。我曾那么害怕幻影和噩梦，但此刻却渴望着它们到来，只为能再见到小枝一面。然而，整个进士第如坟墓一般死寂。拂晓时分，我知道她不会再来了。

我整理好行装，确定没带走这里的任何一件东西。然后，便悄悄地告别了进士第。当我走出古宅大门时，心中默念了一声"再见"。

这个延续了几千年的古老家族，如今已彻底终结了。让所有的爱、恨和罪恶，全都封闭在这栋宅子里吧！不要再闯入其他人的生活了。

我背着行囊走出荒村，几乎没有一个人发现我，当我穿过贞节牌坊，遥望着波涛汹涌的大海时，心里忽然产生了异样的感觉。

清晨的海边弥漫着浓浓的雾气，如中国画一般氤氲地铺展开来，冬天来到这里的时候，可没见过这样的景色。于是，我情不自禁地向海边走去，攀上一片乱石丛生的山岗，发现山坡下便是连绵不断的墓地。无数的坟墓矗立在我脚下，静静地听着大海的波涛。

当我举目四望的时候，忽然发现几百米外的悬崖上，似乎站着一个白衣女子的身影。高高的悬崖下就是大海，她面朝着大海孤独地伫立着，海风吹动她白色的衣裙和黑色的长发，宛如一幅黑白分明的水墨画。虽然距离很遥远，在海边的雾气中只是个模糊的影子，但那细长的身形和披肩的黑发，立刻使我想起了一个人——

"小枝？"

就像在沙漠中长途跋涉，突然发现了一眼甘泉，我再也抑制不住激动，立刻向悬崖的方向狂奔而去。但那悬崖实在太高了，一路上山石陡峭不平，我只能手脚并用地前行。

几分钟后，我终于艰难地爬上了那处悬崖，却发现眼前什么都没有。我紧张地向四周望了一圈，悬崖上就这么大点儿地方，除了我自己以外，见不到半个人影。

我绝望地冲到了悬崖尽头，再往前一步就是万丈深渊了。悬崖距离海面至少有五十米，只见脚下白浪滔天，发出震耳欲聋的轰鸣。一片潮湿的雾气包围着我，宛如在云中漫步。

"小枝——"

我面朝大海高声地喊着，我知道她能够听到我的呼唤，我也知道她一直都在我的身边。

小枝曾经对我说过一句话，到现在一直牢记在我心中——

"只要你心底想着我，那你就会看见我。"

我相信这句话是真的。

现在，我心底想着你，可为什么看不见你呢？

也许，是你不忍心让我看到你吧。

在这高高的悬崖绝壁上，我等了许久，直到阳光打散了雾气，烈日照耀着我的脸庞。但奇怪的是，海面上的风也渐渐静了下来，原本波涛汹涌的大海，此刻像镜子一般沉静着。烈日下的气温立刻高了起来，我感到浑身都冒出了热汗，似乎从海边到了沙漠。

忽然，我看到在海天的尽头，隐隐约约映出了一张女子的脸庞——就像是在看露天电影一样。我立刻屏住了呼吸，那绝对不是我的幻觉，而是实实在在的景象，仿佛大海和苍穹变成了一块幕布，太阳变成了电影放映机，阳光投射到这巨大的幕布上，使我渐渐看清了那张脸——小枝。

是的，她就在海的尽头微笑着，脸庞笼罩在朦胧的光影里，宛如烛影下的聂小倩。她的眼睛、眉毛和鼻子，都仿佛罩上了一层流动的轻纱，又好像被一片碧水波影倒映着。

看着远在天边，却又近在眼前的小枝，我仿佛伸手就能触到她——然而，小枝的脸庞却渐渐变淡了，就像流水一样消失在了天空中。

我重新揉了揉眼睛，却看到海天又恢复了正常，还是那片蓝色的天、黑色的海，在视野尽头只有那条海天相交的天际线。

直到此刻我才明白，刚才所见到的奇异景象，不过是所谓的"海市蜃楼"。"海市蜃楼"是一种大气光学现象，能把不同时空的景象传递到眼前，一般发生在沙漠或是海边。可是，小枝怎么会出现在"海市蜃楼"中呢？我无法解释这种现象，或许只是上苍对于我的怜悯吧。

记得曾经看过一部电影，男主人公走过一片沙漠，看见"海市蜃楼"

中浮现出一个倩影，于是便暗暗爱上了这位素不相识的女子。

而我和小枝则恰恰相反。

终于，我深吸了一口悬崖上的空气，离开了这奇异的地方。

下山的路异常艰辛，好不容易才找到来荒村的路。然后，我快步向西冷镇的方向走去，心里又一次默念道："永别了，荒村。"

中午时分，我疲惫不堪地到达了西冷镇，匆匆吃了一顿午饭，便乘中巴赶往 K 市的长途汽车站，终于赶上了最后一班回上海的车。

当大巴回到上海时，已经是繁星满天了。我背着行囊走出客运站，又回想起这个故事的第一天，那四个大学生造访我家的时刻，心底涌起一股莫名的惆怅。

我仰望着神秘的星空，轻轻叹了一声："让一切都结束吧。"

第三十天

今天，是这个故事的第三十天，也将是最后一天。

不知是否该把今天放到这本书里，在整整三十天内，我经历了许多人一辈子都无法经历的事。是的，三十个恐惧的日日夜夜，穿越了五千年的古老传说，还有那些刻骨铭心的爱与恨，都将被我忠实地记录下来，写成这部长篇小说，献给我最亲爱的朋友——正在读这本书的你。

下午三点，门铃突然响了，就像故事第一天的门铃声那样，我心里又疑惑了起来。犹豫着打开房门，却看到门外有一张年轻的脸庞。

刹那间我愣住了，这是一个我绝对想不到的人——苏天平。

是的，正是那张脸，只是更加瘦削苍白，头发长长地蓬着，就像是刚刚睡醒的样子。他那双深井般的眼睛盯着我，缓缓地说："对不起，我能进去吗？"

几秒钟后，我才反应过来，连忙把苏天平让了进来，又给他倒了一杯热水。他端着水抬起头，露出了一个奇怪的微笑说："你以为我早就死了吧？"

他的问题让我无法回答，因为我确实认为他早就死了，像霍强和韩小枫那样死于噩梦，或者像春雨那样变成了精神病人。不等我回答，苏天平自顾自地说："其实，就连我自己都以为我早就死了。"

终于，我让自己恢复了镇定。"这些天你去哪儿了？学校到处在找你呢。"

"还记得那一天吗？在学校大门对面的咖啡馆里，我约你谈了整整一个下午。"

"当然记得，从此你就杳无音信了。"

"就在那天晚上，我跑到了网吧里通宵上网，因为我实在不敢睡觉，害怕自己会和霍强、韩小枫一样，被荒村的噩梦活活吓死。我就这样强迫自己待在网吧，没日没夜地玩网络游戏，和各地的网友聊天，只是为了逃避睡梦。"

"你撑了多久？"

苏天平的表情痛苦了起来："记不清楚了，也许是三十多个小时吧，我一直泡在那家网吧里。现在我才明白，熬夜要比死亡更痛苦，我在电脑屏幕前拼命支撑着，直到脑子发涨，两眼发黑，手指不能动弹，就突然失去了知觉。"

"就算没有被噩梦吓死，你也会因为长时间上网而猝死的。"

"我失去了所有知觉，后来的事情都记不清了。等我从昏迷中苏醒的时候，发现自己正躺在医院的病床上，时间是昨天清晨的六点钟。"

"昨天清晨？"我立刻在心里算了算时间，"你已经昏迷快半个月了？

"是的，我刚醒来就问了医生。他们说在半个月前，我因为过度疲劳昏倒在网吧里，立刻就被送往医院急救。当时，我的情况非常危险，医生抢救了整整一夜，才把我从死神手里夺了回来。但我依然处于昏迷之中，无论怎么治疗也无法醒来，医生说我当时有可能成为植物人。"

"医院没有通知你的学校吗？"

苏天平还是摇了摇头："当时我身上没有任何证件，没有人知道我是谁，医生几乎就要放弃治疗了。"

"可你竟自己醒了过来？"

"是的，医生也不知道为什么，他们认为我的苏醒可能是个生命奇迹。"苏天平自我嘲讽地笑了一下，"医院立刻对我进行了全面的体检，发现我已经基本恢复了正常，并没有留下什么后遗症。只是因为昏迷了半个月，身体比较虚弱而已。"

"深度昏迷的人是不会做梦的，也许你就因此而逃过了一劫。"

"我不知道，但我已经在死神唇边走过一圈了，现在无论什么噩梦都不会吓倒我了，我已经无所畏惧。"苏天平的目光炯炯有神了起来，说话的口气也充满了自信，"早上，我通知了家里和学校，他们很快赶到为我支付了医药费。我又向学校问起了春雨的情况，才知道她早已被送进精神病院了。医生让我再住院观察几天，但我还是私下跑了出来。因为我最挂念的人是春雨。"

"你去精神病院找她了？"

"今天上午，我在精神病院里找到了春雨，她一眼就认出了我，竟抱着我哭了起来。她的神志非常清楚，思维和意识也很正常，并没有任何精神病的样子。昨天，医生给她作了精神病鉴定，结果证明她已经完全正常了。春雨还说昨天凌晨做了一个奇怪的梦，梦到荒村地宫的大门关上了。"

"地宫的大门关上了？"

我立刻想到了前天半夜里，我在荒村神秘的地宫里所做的一切——是的，我做对了。

"是的，做完那个梦以后春雨就醒了过来，她说感觉脑子变得非常清醒，整个人都恢复到了去荒村以前的状态。对啊，当昨天清晨我醒来的时候，也是和她同样的感觉——就好像得到了第二次生命。"

"第二次生命？是的，经历过荒村生与死的考验，能幸存下来就是第二次生命。"

忽然，苏天平靠近了我，盯着我的眼睛问："告诉我，一切都结束了吧？"

但我许久都没有说话，脑子里不断闪回着这些天来所见到的一幕幕画面。对，就像《天鹅湖》最终的结局，所有的魔咒都被解除了，一切又恢复了过去的平静。

"是的，一切都结束了。"

我点了点头，缓缓地回答。

苏天平的眼眶里忽然涌出了眼泪，他哽咽着说："今天我来找你，期待的就是这句话，但愿霍强和韩小枫也能够听到。"说完，他低头擦了擦眼泪说，"对不起，在三十天以前，我们就不该来打扰你，让一切都归于平静吧。"

苏天平终于辞别了我。目送着他匆匆离去，我不知道该说些什么。经历了这些惊心动魄的日日夜夜，他会和春雨走到一起吗？

于是，我轻轻地念了一句："但愿人长久，千里共婵娟。"

黄昏时分，我又去了一次安息路。

在金色夕阳的笼罩下，我来到安息路边的建筑工地。荒村公寓曾经矗立过的地方，现在变成了一大堆瓦砾，只剩下几块残垣断壁，还倔强地立在废墟中。废墟里还埋着许多绿色的叶子，那是爬山虎们的尸体，它们很快就会在雨季腐烂掉。

这算是凭吊遗迹吗？至少，我曾在这栋古老的房子里住过十天。

安息路 13 号中的冤魂们，全都和这条路一同安息吧，你们再也没有机会让别人发现了。

夜色已悄然降临了，我离开安息路，坐地铁回家。

在冰冷的地铁站台上，等候着许多忙碌的人们，我在他们中间孤独地站着。当地铁列车呼啸着进站打开车门时，人们丝毫不顾风度地蜂拥而入。我被人们挤在中间，好不容易才找到一个面对车窗的位置，有些艰难地呼吸着。

地铁列车飞驰着进了黑暗的隧道。在晃动而拥挤的车厢里，我闻着无数奇怪的气味，让人昏昏欲睡的。忽然，我抬起头看着车窗，车厢内的灯光照射到玻璃上，隐隐映出了我的脸庞。在隧道黑暗的背景下，我映在车窗上的脸时隐时现，就像对着一面黑夜中的镜子。在经历了生离死别后，我发现自己竟是那样憔悴，只能任由列车带着我狂奔下去。

忽然，车窗里似乎映出了另一张脸——在车厢里白色的灯光与车窗外黑暗的隧道之间，那张脸幽幽地浮现了出来，她黑色的长发依然披在肩后，一双眼睛闪着淡淡的忧伤，那是"聂小倩"才有的眼神。

列车继续在隧道中飞驰，整个车厢里的人似乎都睡着了，惟独我一人，能看到她映在车窗上的脸。然而，我不能回过头去，我只能看着对面的车窗，我知道她就站在我的身后，就像两个人同照着一面镜子。在地下拥挤的车厢内，我们彼此看着对方的眼睛，这是只属于我们两个人的秘密。

只要你心底想着我，那你就会看见我。

瞬间，我感觉整个城市都寂静了下来——只有在这地下的深处，有两道深情的目光，一同穿透忧伤的空气，相会在一面飞奔的镜子上。

图书在版编目（CIP）数据

荒村公寓/蔡骏著.—南宁：接力出版社，2004.11
（萌芽书系）
ISBN 7－80679－658－4

Ⅰ.荒…　Ⅱ.蔡…　Ⅲ.长篇小说-作品集-中国-当代　Ⅳ.I247.5

中国版本图书馆 CIP 数据核字（2004）第 109607 号

责任编辑：朱娟娟　　美术编辑：小　璐　　封面设计：郭树坤
责任校对：张　莉　　责任监印：刘　签

出版人：李元君
出版发行：接力出版社
社址：广西南宁市园湖南路 9 号　　邮编：530022
电话：0771－5863339（发行部）　　5866644（总编室）
传真：0771－5863291（发行部）　　5850435（办公室）
E－mail：jielipub@public.nn.gx.cn

经销：新华书店
常年法律顾问：北京天驰律师事务所

印制：三河市汇鑫印务有限公司
开本：710 毫米×1000 毫米　　1/16
印张：15.75　　字数：230 千字
版次：2004 年 11 月第 1 版　　印次：2006 年 1 月第 9 次印刷
印数：170 001—190 000 册
定价：19.80 元